UN LLAMADO a la FE

NIVEL A

Our Sunday Visitor
Curriculum Division

www.osvcurriculum.com

Nihil Obstat
Revdo. Dennis J. Colter

Imprimátur
✠ Rvdo. Mayor Jerome Hanus, OSB
Arzobispo de Dubuque
5 de enero de 2004
Día de San John Neumann

La nihil obstat y el imprimátur son declaraciones oficiales de que un libro o folleto no tiene error doctrinal o moral. Lo presente no implica que aquellos a quienes se les otorgó la nihil obstat y el imprimátur están de acuerdo con el contenido, las opiniones o las declaraciones expresadas.

The Ad Hoc Committee to Oversee the Use of the Catechism, United States Conference of Catholic Bishops, has found this catechetical series, copyright © 2005, to be in conformity with the *Catechism of the Catholic Church.*

El Comité Ad Hoc para Supervisar el Uso del Catecismo, de la Conferencia de Obispos Católicos de los Estados Unidos, consideró que este serie catequética, copyright © 2005, está en conformidad con el *Catecismo de la Iglesia Católica.*

Write:
Our Sunday Visitor Curriculum Division
Our Sunday Visitor, Inc.
200 Noll Plaza, Huntington, Indiana 46750

For permission to reprint copyrighted materials, grateful acknowledgment is made to the following sources:

Catholic Book Publishing Co., New Jersey: "Ave María" from *Libro Católico de Oraciones,* edited by Rev. Maurus Fitzgerald, O.F.M. Text copyright 2003, 1984 by Catholic Book Publishing Co.

Confraternity of Christian Doctrine, Washington, D.C.: Scriptures from the *New American Bible.* Text copyright © 1991, 1986, 1970 by the Confraternity of Christian Doctrine. All rights reserved. No part of the *New American Bible* may be used or reproduced in any form, without permission in writing from the copyright owner.

Editorial Verbo Divino: Scriptures from *La Biblia Latinoamerica,* edited by San Pablo – Editorial Verbo Divino. Text copyright © 1998 by Sociedad Bíblica Católica Internacional (SOBICAIN).

The English translation of the Psalm Responses from *Lectionary for Mass* © 1969, 1981, 1997, International Commission on English in the Liturgy Corporation (ICEL); the English translation of "You Have Put On Christ" from *Rite of Baptism for Children* © 1969, ICEL; the English translation of the Act of Contrition from *Rite of Penance* © 1974, ICEL; excerpt from the English translation of *Eucharistic Prayer II for Masses with Children* © 1975, ICEL; the English translation of the Prayer to the Guardian Angel from *A Book of Prayers* © 1982, ICEL; the English translation of the Prayer after Meals from *Book of Blessings* © 1988, ICEL; excerpts from the English translation of *The Roman Missal* © 2010, ICEL. All rights reserved.

Obra Nacional de la Buena Prensa, A.C.: Untitled prayer (Titled: "La Oración del Señor") from *Misal Romano.* Text copyright © 1999 by Obra Nacional de la Buena Prensa, A.C.

Un Llamado a la Fe/Call to Faith Nivel A Bilingual Student Edition
ISBN: 978-0-15-901360-1
Item Number: CU0488

10 11 12 13 14 15 16 17 015016 17 16 15 14 13
Webcrafters, Inc., Madison, WI, USA; January 2013; Job# 103807

Contenido

Recursos católicos

Contents

Catholic Source Book

Acerca de tu vida

Líder: Dios, por favor bendícenos.

"¡Que Dios tenga piedad y nos bendiga!". Salmo 67, 1

Todos: Dios, por favor bendícenos. Amén.

Actividad Comencemos

Bienvenidos En este nivel aprenderás muchas cosas nuevas. Aprenderás sobre el amor que Dios te tiene. También te harás más amigo de Jesús.

Pasarás tiempo con tu maestro y con tus compañeros de clase. ¿Por qué no les cuentas algo acerca de ti?

¡Dibuja algo especial que puedas hacer!

About You

Leader: Please bless us, God.

"May God be gracious to us and bless us."

Psalm 67:1

All: Please bless us, God. Amen.

Activity Let's Begin

Welcome First grade is a great grade. You will learn many new things. You will learn about God's love for you. You will also grow as Jesus' friend.

You will spend time with your teacher and classmates. Why don't you share something about yourself?

Draw something special You can do!

Acerca de tu fe

Durante este año aprenderás muchas cosas.

Escucharás relatos sobre el amor de Dios. Conocerás a Jesús, el Hijo de Dios.

Tu familia y tu parroquia te ayudarán.

AUTOBÚS ESCOLAR

Actividad Comparte tu fe

Piensa: ¿Qué sabes acerca de Dios?

Comunica: Habla con un grupo pequeño acerca de cómo supiste eso.

Actúa: Trabajen con su maestro para hacer una lista de preguntas que tengan acerca de Dios.

About Your Faith

During the year you will learn many things.

You will hear stories about God's love. You will get to know God's Son, Jesus.

Your family and parish will help you.

SCHOOL BUS

Activity

Share Your Faith

Think: What is something you know about God?

Share: Talk to a small group about how you learned this.

Act: As a class work with your teacher to make a list of questions you have about God.

Acerca de tu libro

Tu libro contiene muchas cosas.

Tiene relatos sobre Dios y sobre Jesús, su Hijo.

Tiene también relatos sobre los seguidores de Jesús.

Tu libro tiene además oraciones, canciones y actividades.

Busca y encuentra Para conocer mejor tu libro, mira los dibujos que aparecen abajo. Luego busca en tu libro un ejemplo de cada dibujo.

About Your Book

Your book has many things in it.

It has stories about God and his Son, Jesus.

It also has stories about Jesus' followers.

Your book has prayers, songs, and activities, too.

Activity Connect Your Faith

Seek and Find To get to know your book better, look at the pictures below. Then find an example of the pictures in your book.

Un llamado a la fe

Juntos

Hagan la señal de la cruz.

Líder: El Señor esté con vosotros.

Todos: Y con tu espíritu.

Líder: Oremos.

Inclinen la cabeza mientras el líder reza.

Todos: Amén.

Escucha la Palabra de Dios

Líder: Lectura del santo Evangelio según san Marcos.

Lean Marcos 1, 16–20.

Palabra del Señor.

Todos: Gloria a ti, Señor Jesús.

Reflexiona

¿Qué pidió Jesús a Simón y a Andrés?
¿Qué pide Jesús de ti?

A Call to Faith

Gather

Pray the Sign of the Cross together.

Leader: The Lord be with you.

All: And with your spirit.

Leader: Let us pray.

Bow your heads as the leader prays.

All: Amen.

Listen to God's Word

Leader: A reading from the holy Gospel according to Mark.

Read Mark 1:16–20.

The Gospel of the Lord.

All: Praise to you, Lord Jesus Christ.

Reflect

What did Jesus ask Simon and Andrew? What does Jesus ask of you?

La señal de la cruz

Líder: En el nombre del Padre,

Todos: En el nombre del Padre,

Líder: y del Hijo,

Todos: y del Hijo,

Líder: y del Espíritu Santo.

Todos: y del Espíritu Santo.

Líder: Amén.

Todos: Amén.

¡Evangeliza!

Líder: Empecemos este nuevo año con toda la alegría y todo el amor que vienen de Cristo.

Todos: Demos gracias a Dios.

Canten juntos.

¡Dios nos llama a obrar con justicia,
Dios nos llama a amar con ternura,
Dios nos llama a servir uno al otro;
y a seguirle con humildad!

Sign of the Cross

Leader: In the name of the Father,

All: In the name of the Father,

Leader: and of the Son,

All: and of the Son,

Leader: and of the Holy Spirit.

All: and of the Holy Spirit.

Leader: Amen.

All: Amen.

Go Forth!

Leader: Let us begin this new year with all the joy and love that comes from Christ.

All: Thanks be to God.

Sing together.

We are called to act with justice,
we are called to love tenderly,
we are called to serve one another;
to walk humbly with God!

Tiempos especiales

Las familias se reúnen durante tiempos especiales. A menudo los cumpleaños y los días festivos se celebran con familiares y amigos.

La Iglesia también participa unida de tiempos especiales. Durante ellos, se celebran acontecimientos de la vida de Jesús, de María y de los santos.

Para celebrar, la Iglesia usa palabras y acciones.

Palabras y acciones
Unimos las manos para orar.
Inclinamos la cabeza en silencio.
Hacemos la señal de la cruz sobre la frente, el corazón y los labios.

Durante el año, tu clase usará también estas palabras y acciones para celebrar.

El año litúrgico

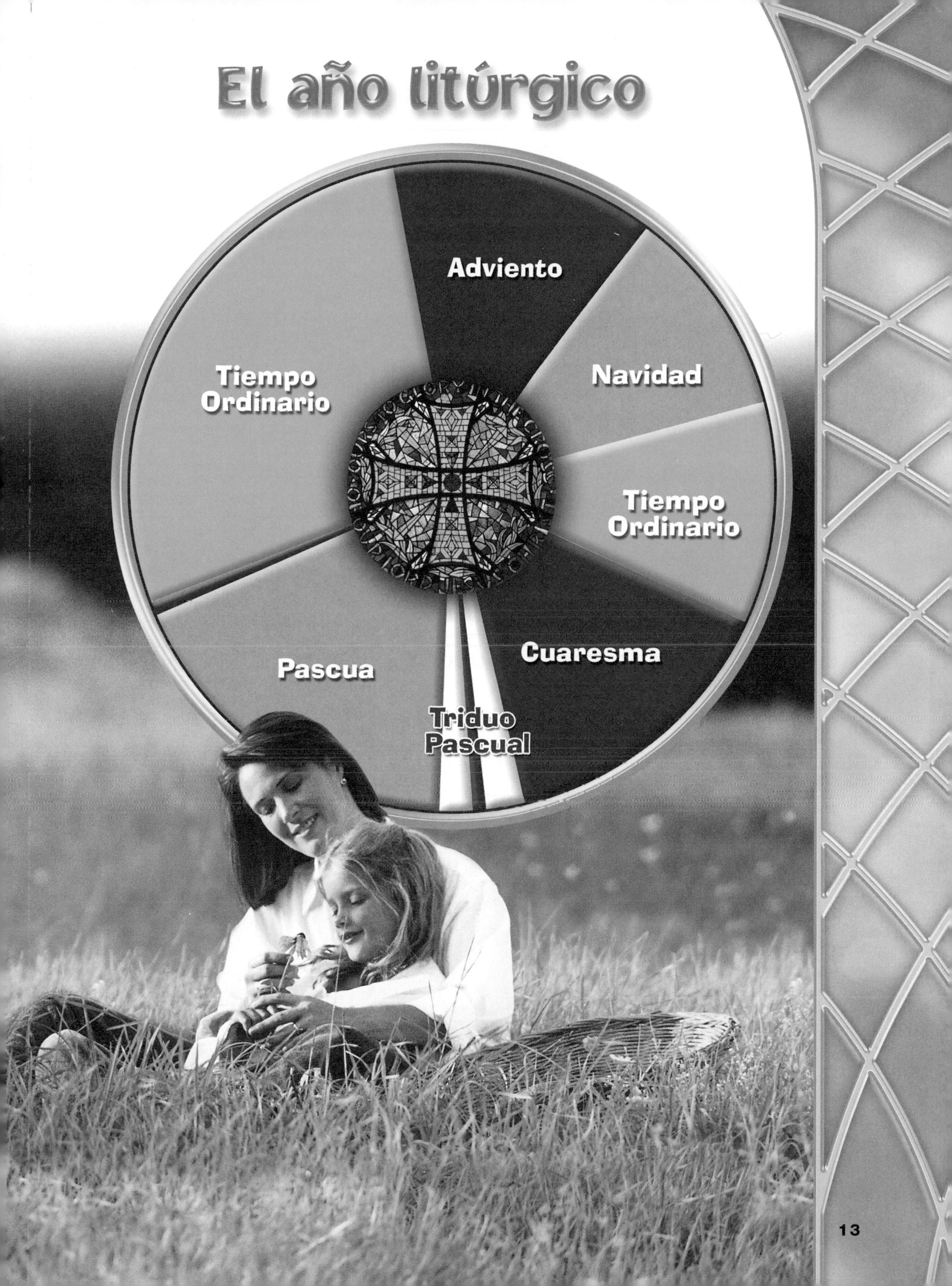

Special Times

Families share special times together. Birthdays and holidays are often spent with family and friends.

The Church shares special times together, too. The Church celebrates events in the lives of Jesus, Mary, and the saints.

The Church uses words and actions to celebrate.

Words and Actions
Hands are folded in prayer.
Heads are bowed in silence.
The Sign of the Cross is marked on foreheads, hearts, and lips.

During the year, your class will use these words and actions to celebrate, too.

The Church Year

Tiempo Ordinario

María madre

Tú eres hijo de Dios.

Puesto que Dios es tu Padre, Jesús es tu hermano.

La madre de Jesús es María.

María también es tu madre.

El cumpleaños de María es el 8 de septiembre.

María dijo “sí” al plan de Dios, y el Hijo de Dios se hizo hombre.

Celebremos a María

Juntos

Canten juntos el estribillo.

Ave, ave, ave, María.
Ave, ave, María.

"Immaculate Mary". Tradicional.

Hagan la señal de la cruz.

Líder: Bendito sea Dios.

Todos: **Bendito sea Dios por siempre.**

Líder: Oremos.

Inclinen la cabeza mientras el líder reza.

Todos: **Amén.**

Escucha la Palabra de Dios

Líder: Lectura del santo Evangelio según san Mateo.

Lean Mateo 1, 18–23.

Palabra del Señor.

Todos: **Gloria a ti, Señor Jesús.**

¡Evangeliza!

Líder: Vayamos a compartir la paz y el amor de Dios.

Todos: **Demos gracias a Dios.**

Mother Mary

You are God's child.

Because God is your Father, Jesus is your brother.

The mother of Jesus is Mary.

Mary is your mother, too.

Mary's birthday is on September 8.

Mary said "yes" to God's plan, and the Son of God became man.

Celebrate Mary

Gather

Sing together the refrain.

Ave, Ave, Ave, Maria.
Ave, Ave, Maria.

"Immaculate Mary" Traditional

Pray the Sign of the Cross together.

Leader: Blessed be God.

All: Blessed be God forever.

Leader: Let us pray.

Bow your heads as the leader prays.

All: Amen.

Listen to God's Word

Leader: A reading from the holy Gospel according to Matthew.

Read Matthew 1:18–23.

The Gospel of the Lord.

All: Praise to you, Lord Jesus Christ.

Go Forth!

Leader: Let us go to share God's peace and love.

All: Thanks be to God.

A la espera de Jesús

Los días anteriores a la Navidad se llaman Adviento.

Adviento significa venida.

Durante ese tiempo celebramos la venida de Jesús a nosotros.

La gente esperó por muchos años que Dios enviara a un Salvador a la tierra.

Finalmente, Jesús el Salvador nació en Belén.

Celebremos a Jesús

Juntos

Canten juntos el estribillo.

¡Alégrate! Emmanuel
¡A ti vendrá, Oh Israel!

"O Come, O Come, Emmanuel". Tradicional.

Hagan la señal de la cruz.

Líder: El Señor esté con vosotros.

Todos: Y con tu espíritu.

Líder: Oremos.

Inclinen la cabeza mientras el líder reza.

Todos: Amén.

Escucha la Palabra de Dios

Líder: Lectura del profeta Isaías.

Lean Isaías 40, 9–10.

Palabra de Dios.

Todos: Te alabamos, Señor.

¡Evangeliza!

Líder: Vayamos a esperar a Jesús.

Todos: Demos gracias a Dios.

Waiting for Jesus

The days before Christmas are called Advent.

Advent means coming.

We celebrate Jesus' coming to us.

People waited many years for God to send a Savior to earth.

Finally, Jesus the Savior was born in Bethlehem.

Celebrate Jesus

Gather

Sing together the refrain.

Rejoice! Rejoice! Emmanuel
Shall come to you, O Israel.

"O Come, O Come, Emmanuel," Traditional

Pray the Sign of the Cross together.

Leader: The Lord be with you.

All: **And with your spirit.**

Leader: Let us pray.

Bow your heads as the leader prays.

All: **Amen.**

Listen to God's Word

Leader: A reading from the prophet Isaiah.

Read Isaiah 40:9–10.

The word of the Lord.

All: **Thanks be to God.**

Go Forth!

Leader: Let us go forth to wait for Jesus.

All: **Thanks be to God.**

La luz de Cristo

La estrella de Belén indicó el camino hacia el Niño Jesús.

Cuando mires la estrella de tu árbol de Navidad, piensa en los tres reyes magos.

Si buscas a Jesús, tú también serás sabio como ellos.

¿Eres tú una estrella?

Puedes ser una estrella, si iluminas el camino hacia Jesús.

Celebremos la Navidad

Juntos

Canten juntos el estribillo.

Venid, adoremos,
venid, adoremos,
venid, adoremos
a Cristo, el Señor.

"O Come, All Ye Faithful". Tradicional.

Hagan la señal de la cruz.

Líder: El Señor esté con vosotros.

Todos: Y con tu espíritu.

Líder: Oremos.

Inclinen la cabeza mientras el líder reza.

Todos: Amén.

Escucha la Palabra de Dios

Líder: Lectura del santo Evangelio según san Mateo.

Lean Mateo 2, 9–11.

Palabra del Señor.

Todos: Gloria a ti, Señor Jesús.

¡Evangeliza!

Líder: Regocijémonos en el nacimiento de Jesús.

Todos: Demos gracias a Dios.

The Light of Christ

The star of Bethlehem pointed the way to the baby Jesus.

When you look at the star on your tree, think of the three wise men.

You will be wise, too, if you look for Jesus.

Are you a star?

You can be a star by lighting the way to Jesus.

Celebrate Christmas

Gather

Sing together the refrain.

O come, let us adore him,
O come, let us adore him,
O come, let us adore him,
Christ, the Lord.

"O Come, All Ye Faithful," Traditional

Pray the Sign of the Cross together.

Leader: The Lord be with you.

All: And with your spirit.

Leader: Let us pray.

Bow your heads as the leader prays.

All: Amen.

Listen to God's Word

Leader: A reading from the holy Gospel according to Matthew.

Read Matthew 2:9–11.

The Gospel of the Lord.

All: Praise to you, Lord Jesus Christ.

Go Forth!

Leader: Let us rejoice in the birth of Jesus.

All: Thanks be to God.

San Francisco

Francisco vivió en Francia. Fue un hombre sabio y rico. Oyó el llamado de Dios y se hizo sacerdote.

Ayudó a las personas a aprender sobre la Iglesia Católica. Llegó a ser obispo y escribió muchos libros.

El día de San Francisco es el 24 de enero.

Celebremos el servicio

Juntos

Canten juntos el estribillo.

Cantemos al Señor un canto nuevo,
pues ha hecho maravillas.

Hagan la señal de la cruz.

Líder: Bendito sea Dios.

Todos: Bendito sea Dios por siempre.

Líder: Oremos.

Inclinen la cabeza mientras el líder reza.

Todos: Amén.

Escucha la Palabra de Dios

Líder: Lectura del santo Evangelio según san Lucas.

Lean Lucas 22, 24–30.

Palabra del Señor.

Todos: Gloria a ti, Señor Jesús.

¡Evangeliza!

Líder: Vayamos a servir al Señor.

Todos: Demos gracias a Dios.

Saint Francis de Sales

Francis lived in France. He was a wise and wealthy man. Francis heard God calling him, and he became a priest.

Francis helped people learn about the Catholic Church. He became a bishop and wrote many books.

The feast of Saint Francis is January 24.

Celebrate Service

Gather

Sing together the refrain.

Sing to the Lord a new song,
for he has done marvelous deeds.

"Psalm 98: Sing to the Lord a New Song" *Lectionary for Mass* © 1969, 1981

Pray the Sign of the Cross together.

Leader: Blessed be God.

All: Blessed be God forever.

Leader: Let us pray.

Bow your heads as the leader prays.

All: Amen.

Listen to God's Word

Leader: A reading from the holy Gospel according to Luke.

Read Luke 22:24–30.

The Gospel of the Lord.

All: Praise to you, Lord Jesus Christ.

Go Forth!

Leader: Let us go out to serve the Lord.

All: Thanks be to God.

Cuaresma

La Cuaresma es un tiempo especial que dura cuarenta días.

¡La Iglesia se prepara para la Pascua!

La Cuaresma empieza el Miércoles de ceniza.

Las cenizas en la frente te recuerdan que necesitas el perdón de Dios.

Celebremos la Cuaresma

Juntos

Canten juntos.

Jesús, recuérdame
cuando entres en tu Reino.

Hagan la señal de la cruz.

Líder: Bendito sea Dios.

Todos: Bendito sea Dios por siempre.

Líder: Oremos.

Inclinen la cabeza mientras el líder reza.

Todos: Amén.

Escucha la Palabra de Dios

Líder: Lectura del santo Evangelio según san Marcos.

Lean Marcos 1, 12–13.

Palabra del Señor.

Todos: Gloria a ti, Señor Jesús.

¡Evangeliza!

Líder: Vayamos a hacer buenas obras para el Señor.

Todos: Demos gracias a Dios.

Lent

Lent is a special time. It lasts forty days.

The Church is getting ready for Easter!

Lent starts on Ash Wednesday.

The ashes on your forehead remind you of the need for God's forgiveness.

Celebrate Lent

Gather

Sing together.

Jesus, remember me
when you come into your
Kingdom.

"Jesus, Remember Me" ©1981, Les Presses de Taizé, GIA Publications, Inc., agent

Pray the Sign of the Cross together.

Leader: Blessed be God.

All: **Blessed be God forever.**

Leader: Let us pray.

Bow your heads as the leader prays.

All: **Amen.**

Listen to God's Word

Leader: A reading from the holy Gospel according to Mark.

Read Mark 1:12–13.

The Gospel of the Lord.

All: **Praise to you, Lord Jesus Christ.**

Go Forth!

Leader: Let us go out to do good deeds for the Lord.

All: **Thanks be to God.**

Vida nueva

Jesús nos dio un regalo especial. Dio su vida por nuestros pecados. Murió, pero resucitó a una vida nueva.

La Iglesia celebra la muerte y la Resurrección de Jesús de una manera especial durante los tres días más sagrados del año.

- Jueves Santo
- Viernes Santo
- Sábado Santo

Celebremos la vida nueva

Juntos

Hagan la señal de la cruz.

Líder: El Señor ha resucitado, aleluya.

Todos: Aleluya, aleluya.

Líder: Oremos.

Inclinen la cabeza mientras el líder reza.

Todos: Amén.

Escucha la Palabra de Dios

Líder: Lectura del santo Evangelio según san Marcos.

Lean Marcos 16, 1–6.

Palabra del Señor.

Todos: Gloria a ti, Señor Jesús.

¡Evangeliza!

Líder: Vayamos a alabar al Señor.

Todos: Demos gracias a Dios.

¡Aleluya, aleluya, aleluya!

New Life

Jesus gave us a special gift. He gave his life for our sins. He died, but he was raised to new life.

The Church celebrates Jesus' dying and rising in a special way during the three holiest days of the year.

- Holy Thursday
- Good Friday
- Holy Saturday

Celebrate New Life

Gather

Pray the Sign of the Cross together.

Leader: The Lord is risen, alleluia.

All: Alleluia, alleluia.

Leader: Let us pray.

Bow your heads as the leader prays.

All: Amen.

Listen to God's Word

Leader: A reading from the holy Gospel according to Mark.

Read Mark 16:1–6.

The Gospel of the Lord.

All: Praise to you, Lord Jesus Christ.

Go Forth!

Leader: Let us go out to praise the Lord.

All: Thanks be to God.

Alleluia, alleluia, alleluia!

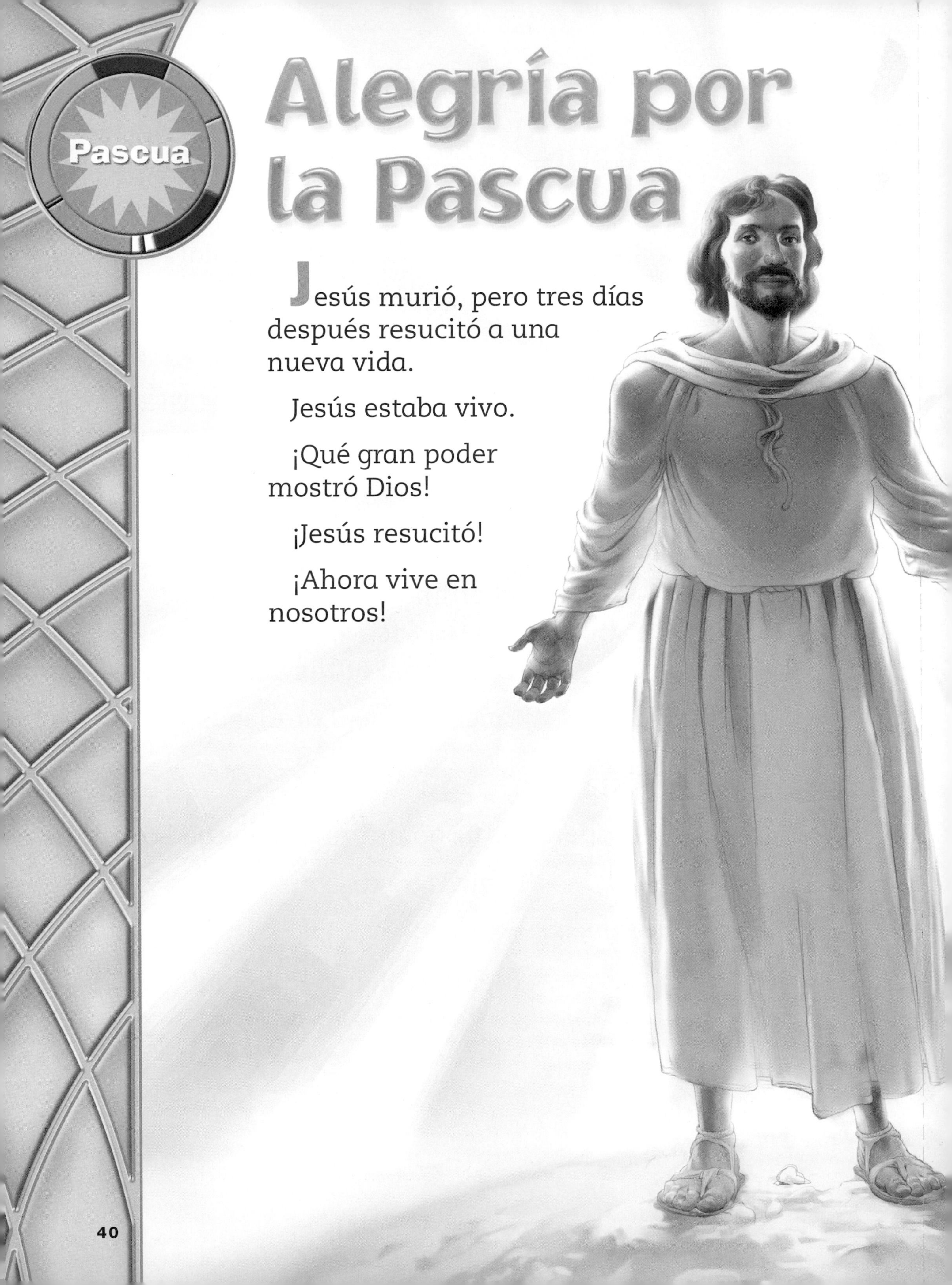

Alegría por la Pascua

Jesús murió, pero tres días después resucitó a una nueva vida.

Jesús estaba vivo.

¡Qué gran poder mostró Dios!

¡Jesús resucitó!

¡Ahora vive en nosotros!

Celebremos la Pascua

Juntos

Canten juntos el estribillo.

Aleluya, aleluya,
demos gracias y adoración.
Aleluya, aleluya,
el Señor resucitó.

"Alleluia, Alleluia, Give Thanks". Tradicional.

Hagan la señal de la cruz.

Líder: El Señor esté con vosotros, aleluya.

Todos: **Y con tu espíritu, aleluya.**

Líder: Oremos.

Inclinen la cabeza mientras el líder reza.

Todos: **Amén.**

Escucha la Palabra de Dios

Líder: Lectura del santo Evangelio según san Juan.

Lean Juan 20, 19–22.

Palabra del Señor.

Todos: **Gloria a ti, Señor Jesús.**

¡Evangeliza!

Líder: Vayamos a celebrar la vida nueva, aleluya.

Todos: **Demos gracias a Dios, aleluya.**

Easter Joy

Jesus was dead, but three days later he rose from the dead to new life.

Jesus was alive.

What great power God showed!

Jesus is risen!

Now he lives in us!

Celebrate Easter

Gather

Sing together the refrain.

Alleluia, alleluia,
give thanks to the risen Lord.
Alleluia, alleluia,
give praise to his Name.

"Alleluia, Alleluia, Give Thanks," Traditional

Pray the Sign of the Cross together.

Leader: The Lord be with you, alleluia.

All: And with your spirit, alleluia.

Leader: Let us pray.

Bow your heads as the leader prays.

All: Amen.

Listen to God's Word

Leader: A reading from the holy Gospel according to John.

Read John 20:19–22.

The Gospel of the Lord.

All: Praise to you, Lord Jesus Christ.

Go Forth!

Leader: Go out to celebrate new life, alleluia.

All: Thanks be to God, alleluia.

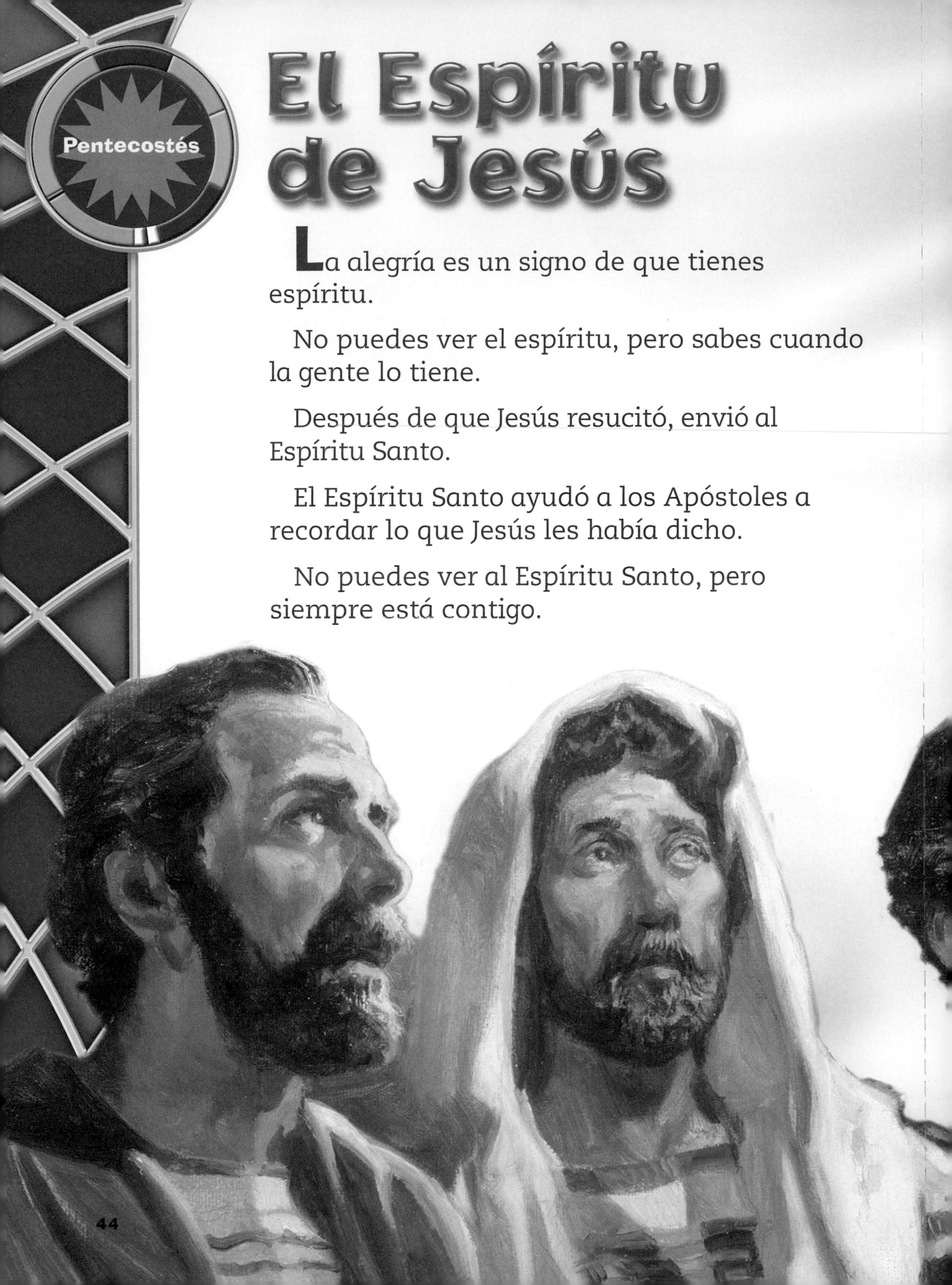

El Espíritu de Jesús

La alegría es un signo de que tienes espíritu.

No puedes ver el espíritu, pero sabes cuando la gente lo tiene.

Después de que Jesús resucitó, envió al Espíritu Santo.

El Espíritu Santo ayudó a los Apóstoles a recordar lo que Jesús les había dicho.

No puedes ver al Espíritu Santo, pero siempre está contigo.

Celebremos al Espíritu

Juntos

Canten juntos el estribillo.

Espíritu de Dios,
es nuestro amigo.

“Spirit Friend” © 1969, 1987, Hope Publishing Co.

Hagan la señal de la cruz.

Líder: El Señor esté con vosotros.

Todos: Y con tu espíritu.

Líder: Oremos.

Inclinen la cabeza mientras el líder reza.

Todos: Amén.

Escucha la Palabra de Dios

Líder: Lectura de los Hechos de los Apóstoles.

Lean Hechos 2, 1–4.

Palabra de Dios.

Todos: Te alabamos, Señor.

¡Evangeliza!

Líder: Vayamos a vivir en el Espíritu de Dios y a compartir alegría, paz y amor.

Todos: Demos gracias a Dios.

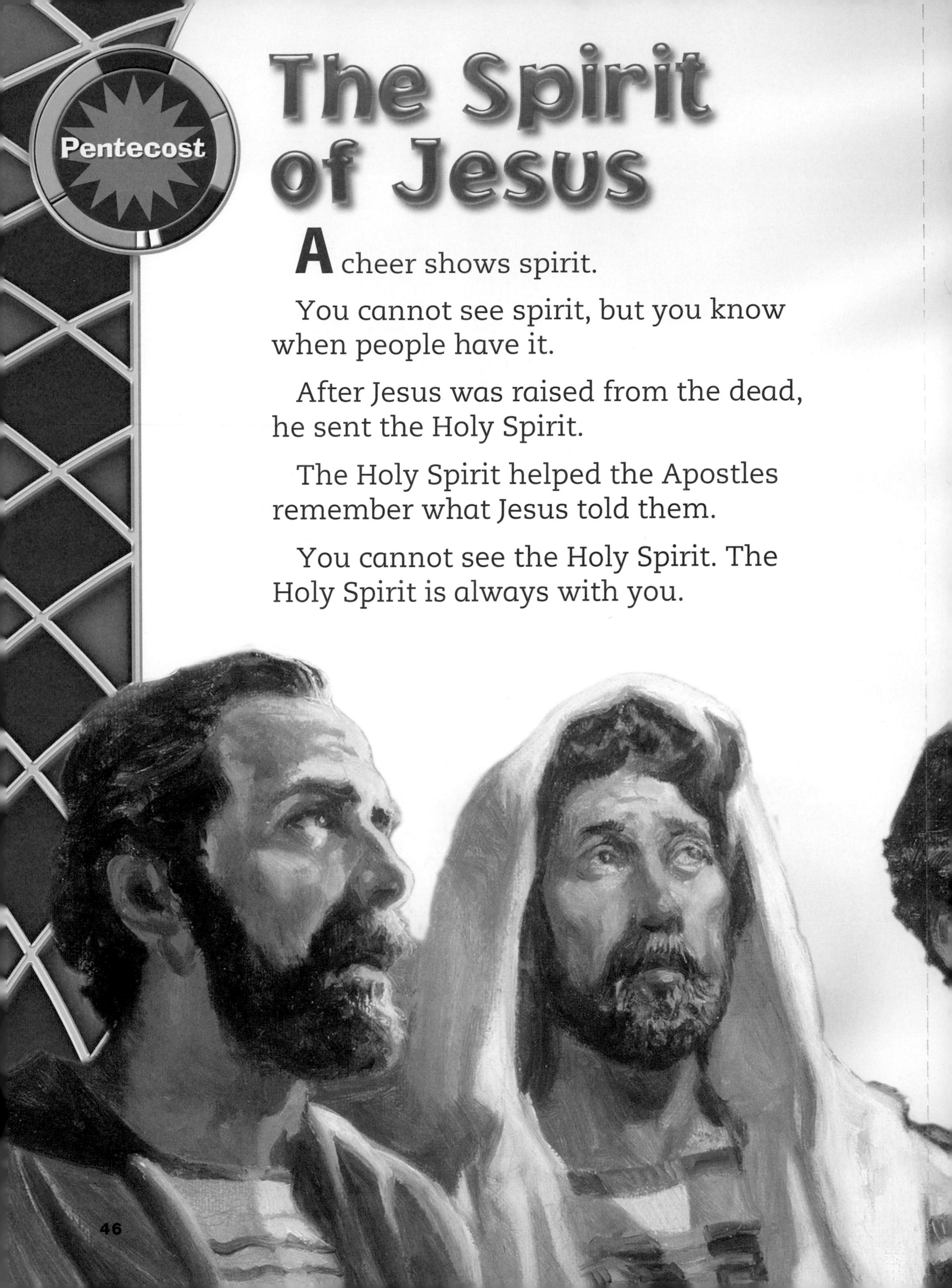

The Spirit of Jesus

A cheer shows spirit.

You cannot see spirit, but you know when people have it.

After Jesus was raised from the dead, he sent the Holy Spirit.

The Holy Spirit helped the Apostles remember what Jesus told them.

You cannot see the Holy Spirit. The Holy Spirit is always with you.

Celebrate the Spirit

Gather

Sing together the refrain.

Spirit of God's people,
Spirit Friend.

Pray the Sign of the Cross together.

Leader: The Lord be with you.

All: **And with your spirit.**

Leader: Let us pray.

Bow your heads as the leader prays.

All: **Amen.**

Listen to God's Word

Leader: A reading from the Acts of the Apostles.

Read Acts 2:1-4.

The word of the Lord.

All: **Thanks be to God.**

Go Forth!

Leader: Let us go forth to live in God's Spirit and share joy, peace, and love.

All: **Thanks be to God.**

UNIDAD 1

Revelación

¡Dios te creó!

¿Quién te ama?

Los dones de Dios

¿Qué cosas ha creado Dios?

El cuidado de la creación

¿Cómo puedes agradecer a Dios por sus dones?

¿Qué crees que aprenderás en esta unidad acerca del mundo de Dios?

UNIT 1
Revelation

What do you think you will learn in this unit about God's world?

Capítulo 1

¡Dios te creó!

Oremos

Líder: Dios, ayúdanos a aprender acerca de todo lo que has creado.

"Te doy gracias por tantas maravillas, admirables son tus obras y mi alma bien lo sabe".

Salmo 139, 14

Todos: Dios, ayúdanos a aprender acerca de todo lo que has creado. Amén.

Actividad Comencemos

¿Quién creó a todas las personas?

Antonio y Pamela,
Erina y Patricio.
¡A todos Dios nos hizo!
María, Omar y Adriana.
¡A todos Dios nos ama!

- ¿Quién te ama?

God Made You!

Leader: God, help us to learn about all you have made.

"I praise you, so wonderfully you made me;
wonderful are your works!"

Psalm 139:14

All: God, help us to learn about all you have made. Amen.

Activity **Let's Begin**

Who Made Everyone?

Antonio and Pamela,
Roberto and Erin.
God made us all!

Maria, Tyrone, and Omar,
God loves us all!

- Who loves you?

Dios te ama

¿Quién es el Creador?

Tú eres hijo de Dios. Dios te conoce y te ama. La **Biblia** tiene muchos relatos acerca del amor de Dios por todos nosotros.

Escucha este relato de la Biblia que trata acerca de Dios y de cómo creó a los primeros seres humanos.

Génesis 2, 7–22

Léemelo

Los primeros seres humanos

Hace muchísimo tiempo, Dios creó a un hombre, le dio un soplo, y el hombre empezó a vivir. Dios amaba al hombre y quería que fuera feliz. Dios creó a una mujer para que fuera la compañera del hombre. El hombre se llamaba Adán y su esposa se llamaba Eva.

Basado en Génesis 2, 7–22

¿Qué más creó Dios?

God Loves You

Focus Who is the Creator?

You are God's child. God knows you and loves you. The **Bible** has many stories about God's love for all of us.

Listen to this Bible story. This story is about God and how he made the first humans.

SCRIPTURE **Genesis 2:7–22**

The First Humans

A very long time ago, God created a man. God breathed into the man, and the man began to live. God loved the man and wanted him to be happy. God created a woman to be the man's partner. The man's name was Adam. His wife's name was Eve.

Based on Genesis 2:7–22

What else did God create?

¡Dios te creó!

Dios creó todas las cosas. Todo lo que Dios creó es bueno. Dios es el **Creador**. Te dio vida y te trajo a este mundo.

Palabras de fe

La Biblia es la Palabra de Dios escrita por los seres humanos.

Creador es un nombre que se da a Dios. Significa que Dios hizo todo.

Actividad Comparte tu fe

Piensa: ¿Qué es lo que más te gusta de ser quien eres?

Comunica: Cuéntaselo a tu compañero.

Actúa: Tú eres especial. Y también lo es tu nombre. Escríbelo aquí.

____

God Made You!

God made everything. Everything God made is good. God is the **Creator**. God gave you life. He brought you into this world.

Words of Faith

The **Bible** is God's word written down by humans.

Creator is a name for God. It means that God made everything.

Activity Share Your Faith

Think: What do you really like about being you?

Share: Tell your partner.

Act: You are special. So is your name. Print your name here.

Dios te conoce

Análisis **¿Cómo puedes ser amigo de Dios?**

Aquellos que te aman son quienes te conocen mejor. Dios te conoce mejor que nadie y quiere que tú también lo conozcas a Él.

Dios te ama mucho y es tu amigo. Dios quiere que tú también seas amigo de los demás.

¿Qué sabes acerca de Dios?

God Knows You

Focus **What is one way you can be God's friend?**

Those who love you know you best. God knows you better than anyone knows you. He wants you to know him, too.

God loves you very much. He is your friend. God wants you to be friends with others, too.

What is one thing you know about God?

El mundo de Dios

Un mundo maravilloso creó Dios
lleno de muchas cosas buenas.

Tiene montañas y ríos,
y peces en los riachuelos.

Aves que vuelan en el cielo,
y muchos sueños buenos.

Tiene flores y bosques
y animales marinos como el manatí.

¡Pero lo increíble y maravilloso
es que Dios te creó a ti!

Actividad Practica tu fe

Lo que Dios creó De las cosas que Dios creó, dibuja la que más te gusta.

God's World

God created a wonderful world.
It is filled with lots of good things.

There are mountains and rivers,
and fish in the stream,

Birds soaring high
and good things to dream.

There are flowers and forests
and puppy dogs, too,

But the best thing of all is that
God made you!

Activity **Connect Your Faith**

What God Made Draw your favorite thing that God made.

Una oración de alabanza

Reúnanse y comiencen con la señal de la cruz.

Líder: Dios, ¡nosotros te alabamos!
¡Nos creaste maravillosamente!

Todos: Dios, ¡nosotros te alabamos!
¡Nos creaste maravillosamente!

Líder: ¡Te alabamos, Dios, por nuestra mente!

Todos: Podemos pensar.
Podemos imaginar.

Líder: Te alabamos, Dios, por nuestro cuerpo.

Todos: Podemos jugar.
Podemos crecer.

Canten juntos el estribillo.

Lo que es bello y lleno de amor,
lo grande y chico también;
lo que es sabio y de gran color,
lo hiciste tú, mi Señor.

"All Things Bright and Beautiful". Tradicional.

Prayer of Praise

Gather and begin with the Sign of the Cross.

Leader: God, we praise you!
We are wonderfully made!

All: **God, we praise you!**
We are wonderfully made!

Leader: We praise you, God, for our minds!

All: **We can think.**
We can imagine.

Leader: We praise you, God, for our bodies.

All: **We can play.**
We can grow.

Sing together the refrain.

All things bright and beautiful,
All creatures great and small,
All things wise and wonderful,
The Lord God made them all.

"All Things Bright and Beautiful," Traditional

Repasar y aplicar

Comprueba lo que aprendiste

1. Dibuja tu cara en el círculo. En el renglón, escribe quién te creó.

2. Encierra en un círculo la mejor respuesta para estos enunciados.

   Dios creó el mundo.

   Sí **No**

   Dios ama a todas las personas.

   Sí **No**

3. Encierra en un círculo la palabra que completa el enunciado.

   Dios es nuestro ______. **Creador** **mascota**

Actividad Vive tu fe

Saltar para divertirse

Usas la mente para leer y el cuerpo para saltar. Haz algo que muestre felicidad.

CHAPTER 1

Review and Apply

Check Understanding

1. Draw your face in the circle.
   On the line, write who made you.

   God

2. Circle the best answers for these sentences.

   God made the world.

   Yes **No**

   God loves everyone.

   Yes **No**

3. Circle the word that finishes the sentence.

   God is our ______. **Creator** **pet**

Activity Live Your Faith

Jump for Joy

You can use your mind to read and your body to jump. Do something to show happiness.

La fe en familia

Lo que creemos

- Dios creó todas las cosas. Todo lo que Dios creó es bueno.
- Dios conoce y ama a todas las personas.

LA SAGRADA ESCRITURA

Lee Génesis 1, 9–13 para descubrir algunas de las creaciones de Dios.

APRENDE en línea Visita **www.osvcurriculum.com** para encontrar recursos basados en el año litúrgico y lecturas semanales de la Sagrada Escritura.

Vive tu fe

Alábense unos a otros Dale una estrella de papel a cada uno de tus familiares y pídele que escriba su nombre en la estrella. Túrnense para decir algo bueno acerca de cada persona y terminen con la frase: "Eres hijo de Dios". A medida que hagan esto, peguen una estrella dorada en la estrella de papel de esa persona. Conserven las estrellas. Traten de decirse algo amable todos los días.

Siervos de la fe

▲ Miguel Ángel, 1475–1564

Miguel Ángel nació en Italia hace más de quinientos años. Pasó su vida pintando, haciendo estatuas y escribiendo poesías. El Papa lo contrató para que pintara el techo de la capilla Sixtina, en el Vaticano. Pintó durante cuatro años, a veces acostado de espaldas. Algunas de las pinturas son acerca de la creación. Cada año va a verlas gente de todas partes. Las pinturas hacen que las personas piensen en Dios, el Creador.

Una oración en familia

Querido Dios, gracias por crearnos. Ayúdanos a usar nuestro talento para contar a los demás acerca de tus maravillosos dones. Amén.

 CIC Consulta el Catecismo de la Iglesia Católica, números 295 y 299, para obtener más información sobre el contenido del capítulo.

Chapter 2 God's Gifts

Leader: God, we thank you for your many gifts.
"Great are the works of the LORD,
to be treasured for all their delights."
Psalm 111:2

All: God, we thank you for your many gifts.
Amen.

Activity Let's Begin

A Moment in Summer

A moment in summer
belongs to me
and one particular
honey bee.

A moment in summer
shimmering clear
making the sky
seem very near,
a moment in summer
belongs to me.

Charlotte Zolotow

- What is something you like about summer?

El gran don de Dios

¿Qué ha hecho Dios?

Dios te da un don muy, muy grande.

Abre tus brazos todo lo que puedas. ¡El don de Dios es todavía más grande!

El don de Dios es demasiado grande para envolverlo. Es tan grande, que ninguna cinta alcanzaría para atarlo.

¿Adivinas qué es? Dios te da el mundo. ¡Dios llenó el mundo con muchos dones!

Alaba a Dios por esos dones.

¿Cuáles son algunos de los dones del mundo de Dios?

God's Big Gift

Focus What has God made?

God gives you a very, very big gift.

Stretch your arms wide. God's gift is bigger than that!

God's gift is too big to wrap. It is so big that no ribbon can be tied around it.

Can you guess what it is? God gives you the world. God filled the world with many gifts!

Praise God for these gifts.

What are some of the gifts in God's world?

Un relato de la Biblia

Dios hizo muchas cosas buenas. Dios hizo el mundo para mostrar su amor. Antes de crear a Adán y a Eva, Dios creó el mundo.

Alabar es honrar a Dios y darle gracias porque es bueno.

LA SAGRADA ESCRITURA — **Génesis 1, 5–25**

Lo que Dios hizo

Hace mucho tiempo, Dios hizo el cielo, la tierra y los mares. La tierra estaba vacía. No había árboles donde trepar. Ni flores que se mecieran con la brisa.

Entonces el Señor Dios creó un mundo hermoso. Llenó el jardín de criaturas. Hizo aves para que volaran en el cielo y muchos animales para que vivieran en la tierra. Dios creó peces y ballenas para que nadaran en el mar. Todo lo que Dios hizo fue bueno.

Basado en Génesis 1, 5–25

¿Qué cosas del mundo de Dios puedes ver, oír y tocar?

Actividad — Comparte tu fe

Piensa: Piensa en los dones que dio Dios al mundo.

Comunica: Habla con un grupo sobre los dones.

Actúa: Trae a la escuela algunos dones de Dios para mostrarlos a la clase.

A Bible Story

God made many good things. God made the world to show his love. Before God made Adam and Eve, he made the world.

Words of Faith

Praise is giving God honor and thanks because he is good.

SCRIPTURE Genesis 1:5–25

What God Made

Long ago, God made the sky, the land and the seas. The earth was empty. There were no trees to climb. No flowers swayed in the breeze.

So the Lord God created a beautiful world. God filled the garden with creatures. Birds flew in the sky. Many animals lived on the earth. God created fish and whales to swim in the seas. All that God made was good.

Based on Genesis 1:5–25

What things in God's world can you see, hear, and touch?

Activity: Share Your Faith

Think: Think about God's gifts to the world.

Share: Talk about the gifts in a group.

Act: Bring some of God's gifts to school to share with the class.

Usar los dones de Dios

Análisis **¿Qué cosas buenas se hacen con los dones de Dios?**

Todas las cosas que te rodean son dones de Dios. El papel fue una vez parte de un árbol. Las comidas se hacen con animales o plantas.

UN RELATO

GUSANITOS MOVEDIZOS

Los gusanitos hacen túneles en la tierra.
Avanzan, avanzan, avanzan.

Los túneles dan aire al suelo.
Aire, aire, aire.

Luego el granjero cava unos hoyos.
Hondos, hondos, hondos.

En los hoyos van las semillas.
Plaf, plaf, plaf.

Semillas

Use God's Gifts

Focus **What good things are made from God's gifts?**

Everything around you is a gift from God. Paper was once part of a tree. Food is made from animals or plants.

A STORY

Wiggle Worms

Worms move in the earth.
Wiggle, wiggle, wiggle.

Wormy wiggles put air in the soil.
Puff, puff, puff.

Now the farmer digs some holes.
Deep, deep, deep.

In the holes go the seeds.
Plop, plop, plop.

El trigo crece recto y alto.
¡Arriba, arriba, arriba!

Se cortan las espigas y se hace
la harina.
Muele, muele, muele.

Con la harina se hace la
masa.
Amasa, amasa, amasa.

Se come el pan calentito
y sabroso.
Ñam, ñam, ña.

¿Qué tres dones de Dios sirven para hacer este pan?

Actividad Practica tu fe

Dones especiales Haz una línea desde cada don hasta el enunciado que diga cómo ayuda al mundo de Dios.

Don de Dios	Sirve para
	dar luz de noche
	dar sombra
	hacer que los días brillen
	hacer suave la tierra

Wheat grows straight and tall.
 Up, up, up!

Stalks get cut and ground
 into flour.
 Smash, smash, smash.

Wheat flour is turned to dough.
 Roll, roll, roll.

Bread is eaten warm and tasty.
 Yum, yum, yum.

What are three gifts from God that help to make this bread?

Activity Connect Your Faith

Special Gifts Draw a line from each gift to show how it helps God's world.

God's gift	How it helps
	gives light at night
	gives shade
	makes the day bright
	makes the ground soft

Una oración de alabanza

Reúnanse y comiencen con la señal de la cruz.

Líder: ¡Canten alabanzas al Señor con cítaras y trompetas!

Todos: ¡Que ruja el mar y canten sus criaturas!

Líder: ¡Que aplaudan los ríos y griten “Hurra” los montes!

Todos: ¡Gloria al Señor, pues ha hecho cosas grandiosas!

Basado en el Salmo 98

Canten juntos.

Cantemos al Señor un canto nuevo,
pues ha hecho maravillas.

Prayer of Praise

Gather and begin with the Sign of the Cross.

Leader: Sing praise to the Lord with harps and trumpets!

All: **Let the sea crash and the sea creatures sing!**

Leader: Let the rivers clap and the mountains shout "Hooray!"

All: **Praise the Lord! He has done great things!**

Based on Psalm 98

Sing together.

Sing to the Lord a new song,
for he has done wondrous deeds.

Repasar y aplicar

Comprueba lo que aprendiste

1. Dibuja algo que Dios creó.

2. ¿Para qué creó Dios el mundo? Encierra en un círculo la mejor respuesta.

   para trabajar un poco **para mostrar su amor**

3. ¿Qué don de Dios te gusta más?

   ____

Actividad Vive tu fe

Usar los dones de Dios Dibújate a ti mismo usando uno de los dones de Dios para ayudar a alguien.

CHAPTER 2

Review and Apply

Check Understanding

1. Draw one thing that God created.

2. Why did God create the world? Circle the best answer.

   to do some work **to show his love**

3. What gift from God do you like best?

   Fairy

Activity Live Your Faith

Use God's Gifts Draw yourself using one of God's gifts to help someone.

La fe en familia

Lo que creemos

- El mundo de Dios es un regalo para ti.
- Puedes aprender acerca de Dios y de su amor al mirar el mundo que Él creó.

LA SAGRADA ESCRITURA

Lee Génesis 1, 27–31 para aprender más acerca de la creación de Dios.

APRENDE en línea Visita **www.osvcurriculum.com** para encontrar recursos basados en el año litúrgico y lecturas semanales de la Sagrada Escritura.

Actividad

Vive tu fe

Un paseo por la naturaleza Salgan a caminar y junten cosas que sean dones de Dios.

- Pongan esas cosas en un lugar de oración especial.
- Reúnanse en ese lugar. ¡Den gracias a Dios por todas sus obras maravillosas!

Siervos de la fe

▲ San Nicolás, 270–310

Nicolás caminó de puntillas hacia una casa con la ventana abierta. La familia que estaba adentro, dormía. Arrojó una bolsa con monedas de oro, que cayó al suelo con un golpe suave, y se alejó rápidamente. A Nicolás le gustaba ayudar a los pobres. Fue obispo de Asia Menor y era tan bueno, que las personas aún lo recuerdan y tratan de ser generosas como él. San Nicolás es el santo patrón de los niños. La Iglesia Católica celebra su día el 6 de diciembre.

Una oración en familia

Querido Dios, ayúdanos a ser como san Nicolás, para que podamos regalar bondad y cuidado a nuestra familia y a nuestros amigos. Amén.

 CIC Consulta el Catecismo de la Iglesia Católica, números 315 y 319, para obtener más información sobre el contenido del capítulo.

CHAPTER 2

Family Faith

Catholics Believe

- God's world is a gift to you.
- You can learn about God and his love by looking at the world he made.

SCRIPTURE

Read Genesis 1:27–31 to find out more about God's creation.

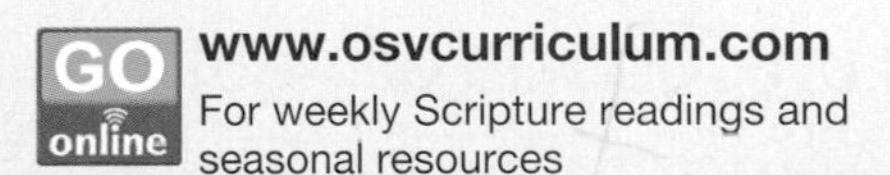

www.osvcurriculum.com
For weekly Scripture readings and seasonal resources

Activity

Live Your Faith

A Nature Walk Take a walk outside to collect things that are gifts from God.

- Bring these things inside to put them in a special prayer space.
- Gather in the space. Thank God for all his marvelous deeds!

▲ Saint Nicholas, 270–310

People of Faith

Nicholas tiptoed to the open window. The family inside was asleep. Nicholas tossed in a bag of gold coins. It landed on the floor with a soft thump. Then he hurried away. Nicholas liked helping people who were poor. He was a bishop in Asia Minor. Nicholas was so kind that people still remember him today. They try to be generous like he was. Saint Nicholas is the patron saint of children. The Catholic Church celebrates his feast day on December 6.

Family Prayer

Dear God, help us be like Saint Nicholas so that we may give gifts of kindness and care to family and friends. Amen.

In Unit 1 your child is learning about REVELATION.

See Catechism of the Catholic Church 315, 319 for further reading on chapter content.

El cuidado de la creación

Líder: Dios, enséñanos a cuidar de tu mundo.
"¡Alabe al Señor todo ser que respira! ¡Aleluya!".
Salmo 150, 6

Todos: Dios, enséñanos a cuidar de tu mundo. Amén.

Actividad Comencemos

Los peces de Samuel Samuel espolvorea un poco de alimento en la pecera. Alimenta a sus peces dos veces al día. Sabe que, sin alimento, sus peces no vivirán; así que los cuida muy bien.

- ¿De qué seres vivos cuidas tú?

Chapter 3 Care for Creation

Let Us Pray

Leader: God, teach us to care for your world.
"Let everything that has breath
give praise to the LORD!
Hallelujah!"

Psalm 150:6

All: God, teach us to care for your world. Amen.

Activity Let's Begin

Sam's Fish Sam sprinkles some food into the aquarium. He feeds his fish twice a day. Sam knows that his fish will not live without food. He takes good care of his fish.

- What living things do you take care of?

Muchos dones

¿Cómo puedes compartir los dones de la creación de Dios?

Toda la **creación** es un don de Dios. Descubre cómo cuidaba la señorita Sandra de la creación de Dios.

UN RELATO

La huerta de la señorita Sandra

El gran terreno que tenía la señorita Sandra estaba lleno de maleza. De todos modos, a ella le encantaba y quería compartirlo con los demás. Sabía que limpiarlo costaría mucho trabajo, así que pensó: "¡Necesito gente a la que le guste trabajar en huertas!".

La señorita Sandra compró semillas y puso un aviso en el periódico que decía: "Venga a sembrar una huerta para compartir". Para su sorpresa, varias tiendas le regalaron bolsas de tierra fértil, madera y heno. Además, llegaron muchos niños dispuestos a trabajar.

¿Por qué trabajarías con la señorita Sandra?

Many Gifts

How can you share the gifts of God's creation?

All creation is a gift from God. Find out how Miss Sandy cared for God's creation.

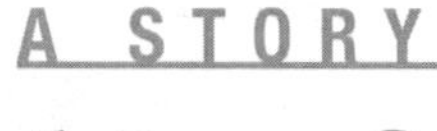

Miss Sandy's Garden

Miss Sandy's large plot of land was full of weeds. She loved it anyway. She wanted to share it with others. She knew that clearing the land was a big job. Miss Sandy thought, "I need people who like to work in the garden!"

Miss Sandy placed an ad in the paper. It said, "Come plant a garden to share." She brought the seeds. To Miss Sandy's surprise, different stores dropped off bags of rich soil, wood, and hay. Many children came ready to work.

Why would you work with Miss Sandy?

Alegría en la huerta

Los niños trabajaron todos los días.

Hicieron hoyos y sembraron.
Regaron y quitaron la maleza.
Cavaron y pasaron la azada.
Y casi sin que se dieran cuenta,
todo empezó a crecer.
Brotaron por docenas los frijoles.
Nacieron ramos de margaritas.
Los tomates se dieron a montones.
¡Ya no faltaron en sus comidas!

Los niños compartieron las flores y los alimentos de la huerta con todos sus vecinos.

Palabras de fe

La **creación** son todas las cosas que Dios creó. Todo lo que Dios creó es bueno.

¿Qué pasó cuando todos trabajaron juntos?

Actividad — Comparte tu fe

Piensa: Piensa qué te gustaría cultivar en una huerta.

Comunica: Habla de las diferentes cosas que puedes sembrar en una huerta.

Actúa: En una hoja, dibuja tu propia huerta. Llénala con tus flores y vegetales preferidos, que son parte de la creación de Dios.

Gardening Fun

Every day the children worked.

They dug holes and planted.
They watered and they weeded.
They shoveled and they hoed.
Before they knew what happened,
Everything began to grow.
Beans popped up by the dozen,
Black-eyed Susans by the bunch,
Tomatoes by the bushel—
They ate them all for lunch!

The children shared flowers and food from the garden with their neighbors.

What happened when everyone worked together?

Words of Faith

Creation is everything that God made. All that God made is good.

Activity: Share Your Faith

Think: Think about what you might like to grow in a garden.

Share: Talk about different things you can put in a backyard garden.

Act: On a piece of paper, draw your own garden. Fill it with your favorite flowers and vegetables that God has made.

El mandato de Dios

¿Qué te pide Dios que hagas?

Los niños trabajaron mucho para sembrar la huerta. Querían agradecer a la señorita Sandra por compartir su terreno. Escucha lo que Dios pidió al primer hombre y a la primera mujer que hicieran.

LA SAGRADA ESCRITURA Génesis 1, 26–30

Toda la creación

Dios creó a Adán y a Eva para que se parecieran a Él. Les dijo: "Tengan hijos para llenar la tierra. Usen la tierra para lo que necesiten. Aquí tienen plantas con semillas, animales y aves. Cuiden de todo lo que les he dado".

Basado en Génesis 1, 26–30

¿Qué pidió Dios a Adán y a Eva que hicieran?

God's Command

What does God ask you to do?

The children worked hard to make a garden. They wanted to thank Miss Sandy for sharing her land. Listen to what God asked the first man and woman to do.

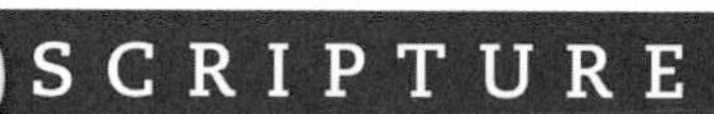

Genesis 1:26–30

All Creation

God made Adam and Eve to be like him. He said to them, "Have children to fill the earth. Use the earth for what you need. Here are plants with seeds, and animals, and birds. Take care of all that I have given you."

Based on Genesis 1:26–30

? What did God ask Adam and Eve to do?

Ser agradecidos

Dios dijo al primer hombre y a la primera mujer que cuidaran de su creación. Dios te pide que también seas un buen **cuidador**.

Cuando cuidas de los seres vivos, muestras tu amor por Dios. Cuidar es una manera de agradecer a Dios por todo lo que te ha dado.

Palabras de fe

Un **cuidador** es una persona que trata todo con cuidado y con respeto.

¿Cómo puedes agradecer a Dios por sus dones?

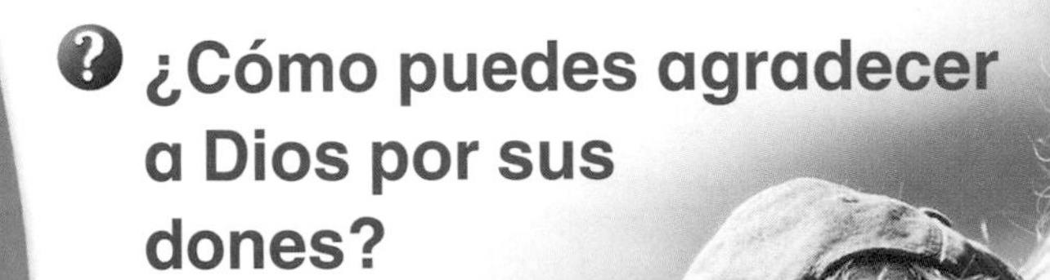

Actividad Practica tu fe

Lo que haré Haz una línea para unir cada acción con la imagen que le corresponda.

Conservar el agua.

Recoger la basura que esté afuera de la escuela.

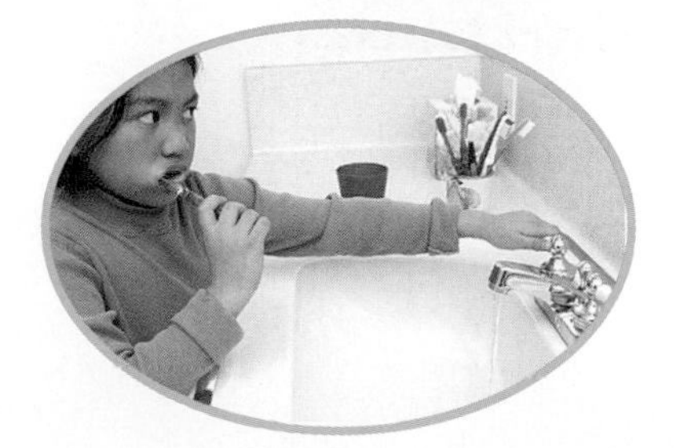

Tratar bien a las mascotas.

Show Thanks

God told the first man and woman to care for his creation. God asks you to be a good **caretaker**, too.

When you care for living things, you show your love for God. Caring is a way to thank God for all that he has given you.

How can you thank God for his gifts?

Words of Faith

A **caretaker** is a person who treats everything with care and respect.

Activity

Connect Your Faith

What I Will Do Draw a line to match each action to a picture.

Save water.

Clean up trash outside school.

Be kind to pets.

¡Gracias, Dios!

Reúnanse y comiencen con la señal de la cruz.

Líder: ¡Dios hizo un mundo maravilloso! Den gracias a Dios por su mundo maravilloso.

Todos: **Gracias, gracias, gracias, Dios.**

Líder: Por las mascotas, los árboles, las zanahorias y los guisantes, y por las aves, que vuelan y cantan.

Todos: **Gracias, gracias, gracias, Dios.**

Líder: ¡Cantamos todos los días y todas las noches para darte gracias y alabanza!
¡Cuidaremos de todo lo que has hecho con empeño y esperanza!

Canten juntos.

¡Canten cielo y tierra!
¡Canten todos al Dios
de amor!
¡Alcen su voz con fuerza!
¡Dancen a la naturaleza!

"Sing Out, Earth and Skies," Marty Haugen

Thank You, God!

Gather and begin with the Sign of the Cross.

Leader: God made a wonderful world! Give thanks to God for his wonderful world.

All: **Thank you, thank you, thank you, God.**

Leader: For pets and trees and carrots and peas
And birds that fly and sing.

All: **Thank you, thank you, thank you, God.**

Leader: We sing our thanks and praise to you
Every day and night!
We'll care for all that you have made,
We'll try with all our might!

Sing together.

Sing out, earth and skies!
Sing of the God who
loves you!
Raise your joyful cries!
Dance to the life
around you!

Repasar y aplicar

Comprueba lo que aprendiste Mira cada dibujo. Haz una línea desde la palabra, o palabras, hasta el dibujo que indica de qué manera puedes cuidar de la creación de Dios.

Regarla **Mantenerla limpia** **Alimentarla**

Comenta con un compañero.
¿Por qué necesitan cuidadores los seres vivos?

Actividad Vive tu fe

Cuida de la creación Pide a un amigo que trace el contorno de tu mano en una hoja. Dibuja en la mano una manera de cuidar de la creación de Dios.

Da la mano de papel a alguien que conozcas. Pide a esa persona que ayude a cuidar de la creación de Dios.

Review and Apply

Check Understanding Look at each picture. Draw a line from the word to the picture that shows how you can care for God's creation.

Water **Keep Clean** **Feed**

Share with a partner.

Why do living things need caretakers?

Activity Live Your Faith

Care for Creation Have a friend trace your hand on paper. On the hand, draw a way to care for God's creation.

Give the paper hand to someone you know. Ask the person to help care for God's creation.

La fe en familia

Lo que creemos

- Toda la creación es un don de Dios.
- Todos debemos ayudar a cuidar del mundo de Dios.

Lee en Lucas 13, 6–9 acerca de una higuera que no daba frutos. ¿Piensas que dio frutos después de que el viñador la cuidó? ¿Por qué?

Visita **www.osvcurriculum.com** para encontrar recursos basados en el año litúrgico y lecturas semanales de la Sagrada Escritura.

Actividad

Vive tu fe

Sean cuidadores Vayan con sus familiares a un parque local. Observen cómo trabaja una hormiga. Miren una puesta de sol. Hablen de lo que vean en las formas de las nubes. Nombren las cosas que vean que Dios haya hecho. Busquen las partes de la creación que necesitan de un buen cuidador. Decidan de qué manera pueden ayudar.

▲ San Alberto Magno, 1206–1280

Siervos de la fe

Alberto era el hijo mayor de una rica familia de militares. Le gustaba aprender acerca del mundo de Dios. Miraba con atención las telarañas. Estudiaba las estrellas y la forma en que se mueven. Caminaba muchas millas solo para estar rodeado de animales y plantas. La gente lo llamaba "el obispo de las botas". La Iglesia Católica celebra el día de San Alberto el 15 de noviembre.

Una oración en familia

San Alberto, ruega por nosotros para que podamos disfrutar de la naturaleza. Ayúdanos a cuidar de todos los seres vivos. Amén.

CIC *Consulta el Catecismo de la Iglesia Católica, números 374 a 379, para obtener más información sobre el contenido del capítulo.*

Family Faith

Catholics Believe

- All creation is a gift from God.
- Everyone must help care for God's world.

SCRIPTURE

Read Luke 13:6–9 about a fig tree that had no fruit. Do you think it had fruit after the gardener cared for it? Why or why not?

www.osvcurriculum.com
For weekly Scripture readings and seasonal resources

Activity

Live Your Faith

Be a Caretaker Go to a local park with the family. Watch an ant do its work. Look at a sunset. Talk about what you see in the shapes of the clouds. Name the things you see that God has made. Look for parts of creation that need a good caretaker. Choose a way to help.

▲ Saint Albert the Great, 1206–1280

People of Faith

Albert was the oldest son of a wealthy military family. Albert liked to learn about God's world. He looked carefully at spiderwebs. He studied the stars and the way they move. Albert hiked for miles just to be around the animals and plants of nature. People called Albert "the bishop of the boots." The Catholic Church celebrates Saint Albert's feast day on November 15.

Family Prayer

Saint Albert, pray for us that we may enjoy the outdoors. Help us care for all living things. Amen.

In Unit 1 your child is learning about REVELATION.

CCC *See Catechism of the Catholic Church 374–379 for further reading on chapter content.*

Repaso de la Unidad 1

Trabaja con palabras Encierra en un círculo la palabra o palabras que completen correctamente el enunciado.

1. _______ hizo el mundo.

   Dios **Tú mamá**

2. Creador es un nombre que se da a _______.

   Dios **las mascotas**

3. _______ es la Palabra de Dios escrita por los seres humanos.

   La Biblia **El mundo**

4. Dios pide a _______ que cuiden de su creación.

   los animales **las personas**

5. La creación es un _______ de Dios.

   trabajo **don**

Unit 1 Review

Work with Words Circle the correct word to complete the sentence.

1. ______ made the world.

   God **You**

2. Creator is a name for ______.

   God **pets**

3. The ______ is God's word written down by humans.

   Bible **world**

4. God asks ______ to take care of his creation.

   animals **people**

5. Creation is a ______ from God.

   job **gift**

UNIDAD 2

La Santísima Trinidad

La Trinidad

¿Cómo llamas a Dios?

La Sagrada Familia

¿Quién es Jesús?

Jesús, nos cuenta

¿Dónde encuentras los relatos de Jesús?

¿Qué crees que aprenderás en esta unidad acerca de Dios?

UNIT 2

God Loves You

Chapter 4

The Trinity

What do you call God?

Chapter 5

The Holy Family

Who is Jesus?

Chapter 6

Jesus the Storyteller

Where do you find Jesus' stories?

What do you think you will learn in this unit about God?

La Trinidad

Líder: Dios, ayúdanos a contar el relato de tu amor.
"Cuenten su gloria a las naciones y a
todos los pueblos sus maravillas".

Salmo 96, 3

Todos: Dios, ayúdanos a contar el relato de tu amor.
Amén.

Actividad Comencemos

Una luz

Una pequeña luz en la noche
brilla e ilumina,

para mostrar el camino y
servir de guía.

Cuando ayudamos a otros,
somos cual luz divina

brillamos intensamente como
la luz del día.

- ¿Qué puedes hacer para ayudar a los demás?

Chapter 4 The Trinity

Let Us Pray

Leader: God, help us to tell the story of your love.

"Tell God's glory among the nations;
among all peoples, God's marvelous deeds." Psalm 96:3

All: God, help us to tell the story of your love. Amen.

Activity Let's Begin

A Light

One small candle shines in the night
To show those who are lost the way.
When we help others we are like a light
that shines bright like the day.

- What can you do to help others?

Ayudar a los demás

Análisis **¿Qué aprendió el león acerca de ser bueno con los demás?**

Dios quiere que siempre seas bueno con las demás personas. El león y el ratón tienen un problema. Lee para saber cómo lo resuelven.

UN RELATO

EL LEÓN Y EL RATÓN

Un poderoso león estaba profundamente dormido en el bosque. Un ratón pensó que el león era un roca y se trepó a su lomo. El león despertó de repente y atrapó al pobre ratón por la cola.

—¿Cómo te atreves a despertarme? —rugió—. ¡Voy a comerte!

—Ay, por favor, déjame ir —dijo el ratón—. Algún día te recompensaré.

—¡No seas tonto! —volvió a rugir el león—. ¿Cómo vas a recompensarme? Eres tan solo un ratoncito. —Luego se rió y dijo—: Está bien, vete.

El león lo soltó y el ratón corrió hacia el bosque.

¿Por qué crees que el león dejó ir al ratón?

Help Others

Focus **What did Lion learn about being nice to others?**

God always wants you to be nice to other people. Lion and Mouse have a problem. Read to find out how they solve the problem.

A STORY

The Lion and the Mouse

A mighty lion was fast asleep in the woods. Mouse thought Lion was a rock. She ran up his back. Lion woke at once.

He grabbed poor Mouse's tail.

"How dare you wake me up?" he roared. "I am going to eat you!"

"Oh, please," Mouse said. "Let me go. Someday I will repay you."

"Don't be silly!" Lion roared. "How will you repay me? You are just a little mouse." Then he laughed. "All right. Go on," he said.

He put Mouse down. She ran into the woods.

? Why do you think Lion let Mouse go?

Después de muchos días, cuando el ratón pasaba por el mismo lugar donde antes había encontrado al león, oyó un rugido atroz y lo vio allí de nuevo.

El león estaba atrapado en una red. Rápidamente, el ratón corrió hacia la red, agarró la cuerda con los dientes y mordió y mordió hasta que la cortó. ¡Había liberado al león!

—Gracias —rugió el león.

—De nada —contestó el ratón—. ¡Ahora espero que puedas ver qué gran ayuda pueden ser los amigos pequeños

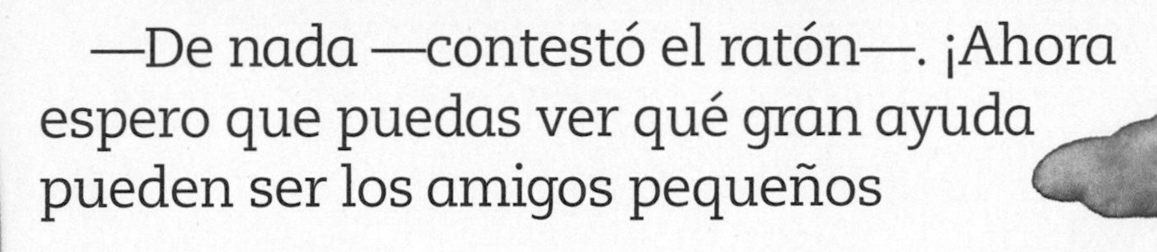

¿Qué aprendió León?

Actividad Comparte tu fe

Piensa: Piensa en cosas que puedes hacer para ser un buen amigo.

Comunica: Habla con un compañero sobre cómo ser un buen amigo.

Actúa: En una hoja, haz un dibujo que muestre una manera en la que puedas ser un buen amigo.

Many days had passed. Mouse ran by that same place. Mouse heard an awful roar. She soon found Lion.

Lion was caught in a net. Quickly Mouse ran to the net. She took the rope in her teeth and chewed and chewed. She chewed right through the rope. She set Lion free!

"Thank you," roared Lion.

"You are welcome," said Mouse. "Now I hope that you can see what a big help small friends can be!"

What did Lion learn?

Activity Share Your Faith

Think: Think about things you can do to be a good friend.

Share: Talk with a partner about being a good friend.

Act: On a piece of paper draw a picture of one way you can be a good friend.

El amor de Dios

Análisis ¿Quién es Dios?

El ratón enseñó al león lo que significa ser un buen amigo y cuidar de los demás. Dios te cuida como un buen amigo. Te ama como un padre o un abuelo amoroso.

Puedes llamar “Padre” a Dios. Puedes ver el amor de Dios en la creación y aprender acerca de Él por medio de Jesús.

Jesús es el Hijo de Dios. Dios Padre envió a su Hijo a la tierra para mostrar su amor a la gente.

LA SAGRADA ESCRITURA Juan 14, 7–9

Dios Padre

Uno de los Apóstoles dijo a Jesús: “Muéstranos al Padre”. Jesús contestó: “El que me ve a mí ve al Padre”.

Basado en Juan 14, 7–9

¿Cómo te muestra Jesús el amor de Dios Padre?

God's Love

Focus **Who is God?**

Mouse taught Lion about being a good friend and caring for others. God cares for you like a good friend does. He loves you like a loving parent or grandparent does.

You can call God "Father." You can see God's love in creation. You learn about God's love from Jesus.

Jesus is the Son of God. God the Father sent his Son to earth to show people his love.

SCRIPTURE John 14:7–9

God the Father

One of Jesus' Apostles said to Jesus, "Show us the Father." Jesus replied, "Whoever has seen me has seen the Father."

Based on John 14:7–9

How does Jesus show you God the Father's love?

La Santísima Trinidad

Jesús es el Hijo de Dios. Mostró el amor de Dios amando a los demás. Dios Espíritu Santo te ayuda a conocer y a amar a Jesús y al Padre.

Dios Padre, Dios Hijo y Dios Espíritu Santo forman la **Santísima Trinidad**. La Santísima Trinidad son las tres Personas en un solo Dios.

Palabras de fe

Jesús es el Hijo de Dios. Jesús es también humano.

Dios Padre, Dios Hijo y Dios Espíritu Santo forman la **Santísima Trinidad**, las tres Personas en un solo Dios.

Actividad — Practica tu fe

El amor de Dios Traza la palabra que completa el enunciado.

Dios me ama.

The Holy Trinity

Jesus is God the Son. He showed God's love by loving others. God the Holy Spirit helps you know and love Jesus and the Father.

God the Father, God the Son, and God the Holy Spirit are called the **Holy Trinity**. The Holy Trinity is the three Persons in one God.

Words of Faith

Jesus is the Son of God. Jesus is also human.

God the Father, God the Son, and God the Holy Spirit are the **Holy Trinity**, the three Persons in one God.

Activity Connect Your Faith

God's Love Trace the word to finish the sentence.

God loves me.

Una oración de alabanza

Reúnanse y comiencen con la señal de la cruz.

Líder: Gloria al Padre,

Todos: Gloria al Padre,

Líder: al Hijo,

Todos: al Hijo,

Líder: al Espíritu Santo;

Todos: al Espíritu Santo;

Líder: como era en un principio, ahora y siempre,
por los siglos de los siglos.

Todos: Amén.

Canten juntos.

Bendito sea el Señor
desde ahora y para siempre.

Prayer of Praise

Gather and begin with the Sign of the Cross.

Leader: Glory to the Father,

All: Glory to the Father,

Leader: and to the Son,

All: and to the Son,

Leader: and to the Holy Spirit:

All: and to the Holy Spirit:

Leader: as it was in the beginning, is now,
and will be forever.

All: Amen.

Sing together.

Blessed be the name
of the Lord
forever and ever.

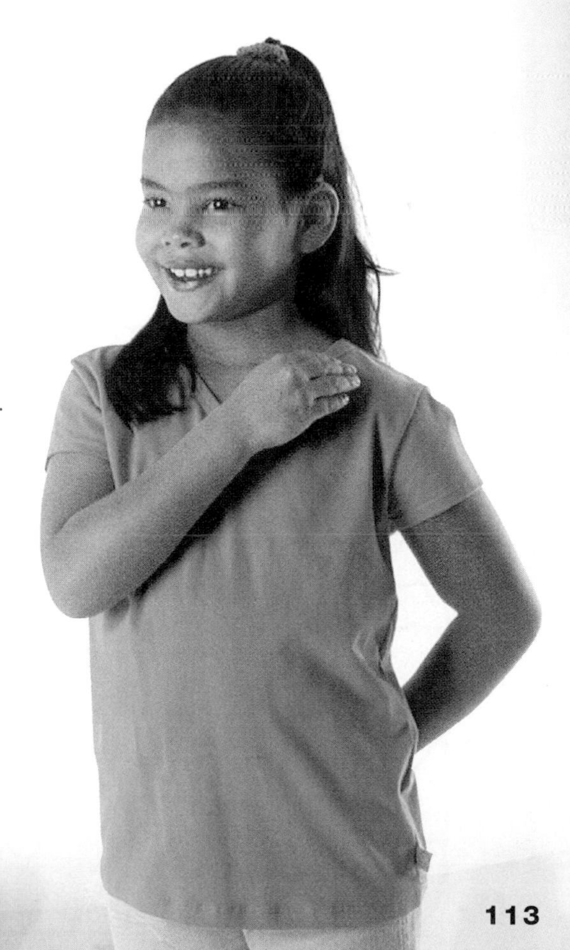

Repasar y aplicar

A **Trabaja con palabras** Encierra en un círculo las respuestas correctas.

1. Jesús el ________ de Dios.

   Hijo **Padre**

2. ¿Quiénes son las tres Personas de la Santísima Trinidad?

   Padre **Hijo**

   Abuela **Espíritu Santo**

B **Comprueba lo que aprendiste** Habla de lo que hacemos nosotros como signo de la Santísima Trinidad.

Actividad Vive tu fe

Colorea el dibujo para que te ayude a recordar quién te ama siempre.

Pinta con un color los espacios marcados con X. Usa otro color para los espacios marcados con O.

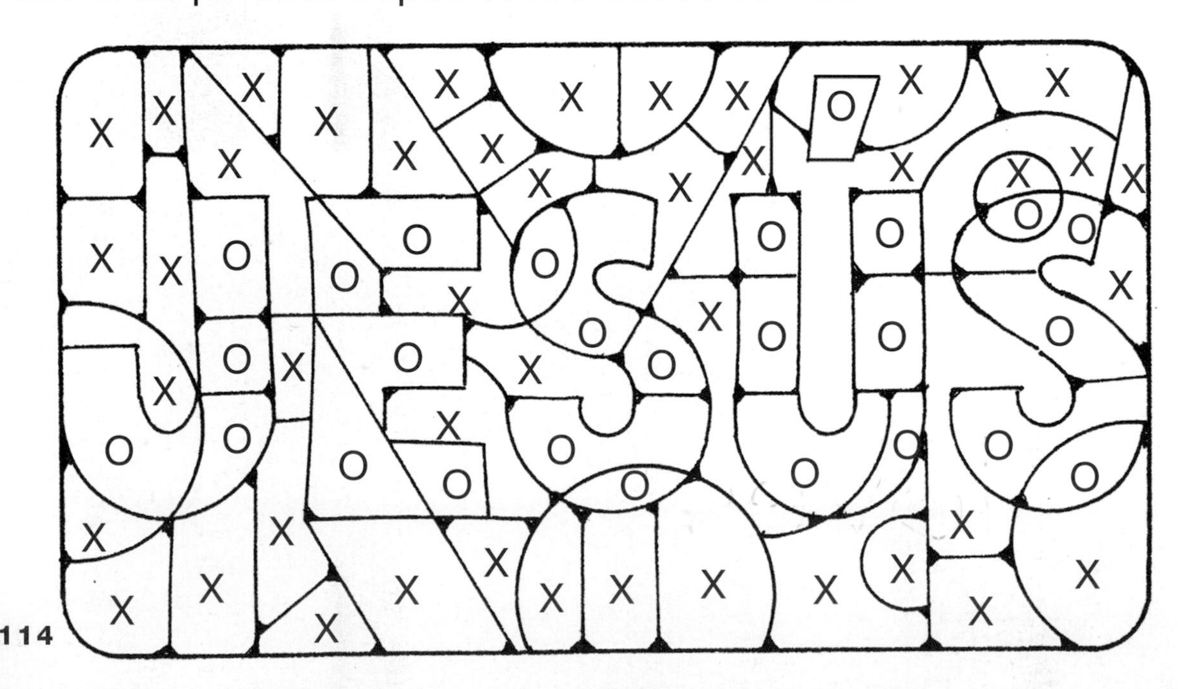

Review and Apply

A Work with Words Circle the correct answers.

1. Jesus is the ______ of God.

   Son Father

2. Who are the three Persons in the Holy Trinity?

   Father Son

   Grandma Holy Spirit

B Check Understanding Talk about what we do as a sign of the Holy Trinity.

Activity Live Your Faith

Color the picture to help remember who loves you always.
Color the boxes with X in one color. Use another color for the O boxes.

CAPÍTULO 4

La fe en familia

Lo que creemos

- La Santísima Trinidad está formada por Dios Padre, Dios Hijo y Dios Espíritu Santo.
- Jesús es el Hijo de Dios.

Lean en familia Lucas 6, 27–36. Hablen de cómo quiere Jesús que tratemos a los demás.

Visita **www.osvcurriculum.com** para encontrar recursos basados en el año litúrgico y lecturas semanales de la Sagrada Escritura.

Actividad

Vive tu fe

Decoren un versículo de la Biblia Trabajen juntos para copiar en una cartulina el siguiente versículo de la Biblia. Usen marcadores de colores o crayolas. Pongan el versículo en la puerta del refrigerador y léanlo todos los días de esta semana.

Siervos de la fe

▲ San Patricio, 387–493

Una vez, en Inglaterra, los piratas raptaron a un muchacho que se llamaba **Patricio**. Lo llevaron a Irlanda para hacerlo esclavo. Patricio a menudo tenía hambre o estaba enfermo, pero era muy valiente. Seis años después de su captura, escapó. Años más tarde, volvió a Irlanda, pero esta vez como sacerdote. Enseñaba a la gente acerca de la Trinidad por medio de un trébol. El día de San Patricio se celebra el 17 de marzo.

Una oración en familia

San Patricio, ruega por nosotros para que podamos ser como Jesús y, amando a los demás, mostremos nuestro amor por la Santísima Trinidad. Amén.

 CIC *Consulta el Catecismo de la Iglesia Católica, números 261 a 264, para obtener más información sobre el contenido del capítulo.*

Family Faith

Catholics Believe

- The Holy Trinity is God the Father, God the Son, and God the Holy Spirit.
- Jesus is the Son of God.

SCRIPTURE

Read Luke 6:27–36 as a family. Talk about how Jesus wants us to treat others.

www.osvcurriculum.com
For weekly Scripture readings and seasonal resources

Activity

Live Your Faith

Decorate a Bible Verse Work together to copy the following Bible verse on art paper. Use colorful markers or crayons. Post the verse on your refrigerator. Read the verse every day this week.

"Whoever has seen me has seen the Father."
John 14:9

▲ Saint Patrick, 387–493

People of Faith

Once pirates in England kidnapped a boy named **Patrick**. They took him to Ireland to be a slave. Often Patrick was hungry or sick. He was very courageous. After six years, Patrick escaped. Years later, Patrick returned to Ireland, but this time he was a priest. He used a shamrock to teach people about the Trinity. Saint Patrick's feast day is March 17.

Family Prayer

Saint Patrick, pray for us that we may be like Jesus and show our love of the Holy Trinity by loving others. Amen.

In Unit 2 your child is learning about the TRINITY.

CCC See Catechism of the Catholic Church 261–264 for further reading on chapter content.

Capítulo 5 La Sagrada Familia

Líder: Padre amoroso, enséñanos a ser agradecidos por el amor de nuestra familia.

"¡Qué valiosa es tu gracia! A ti acuden los hijos de Adán, debajo de tus alas se refugian".

Salmo 36, 8

Todos: Padre amoroso, enséñanos a ser agradecidos por el amor de nuestra familia. Amén.

Actividad Comencemos

Mi familia

Cuando necesitas con alguien hablar,
que tu tristeza pueda calmar.
Cuando necesitas ayuda y consuelo,
¿a quién acudirás?, dime al vuelo.
¡Has adivinado! Tiene sentido.
¡Es tu familia! ¡Es tu nido!

- ¿De qué manera te ayuda tu familia?

Chapter 5

The Holy Family

Leader: Loving Father, teach us to be thankful for the love of our families.

"How precious is your love, O God!
We take refuge in the shadow of
your wings." Psalm 36:8

All: Loving Father, teach us to be thankful for the love of our families. Amen.

Activity Let's Begin

My Family

When you need someone to
talk to
If you're feeling kind of low,
When you need some help or
comfort
There's somewhere you can go!
Now where in the world
Will that special place be?
You've already guessed!
It's with your family!

- How does your family help you?

¡Hola familias!

Análisis **¿Cómo pueden las familias mostrar su amor?**

Dios Padre ama a todas las familias. Te presentamos a las familias que viven en la calle Olmo. Camina junto al señor García mientras entrega el correo.

La familia de Jaimito

Jaimito está triste porque su papá se ha mudado.

Poder hablar con el tío a Jaimito lo ha alegrado.

La familia de Brenda

"Recemos por la abuela un ratito le dice el papá a Brenda.

Se lastimó la mano derecha y ya le han puesto una venda".

Hello, Families

Focus How can families show love?

God the Father loves all families. Meet the families who live on Elm Street. Walk along with Mr. Grant as he delivers the mail.

Jimmy's Family

Jimmy's Dad moved away, and Jimmy is sad.

Having Uncle to talk to makes Jimmy feel glad.

My-Ling's Family

"Let's pray for your Gram," says Dad to My-Ling.

"She hurt her right hand, and it's in a sling."

La familia de Jorge

Jorge, mamá y papá van al parque a un picnic divertido.

—Ve a buscar la pelota, Picarón —dice Jorge.

—¡Ahora mismo! —le responde Picarón con un ladrido.

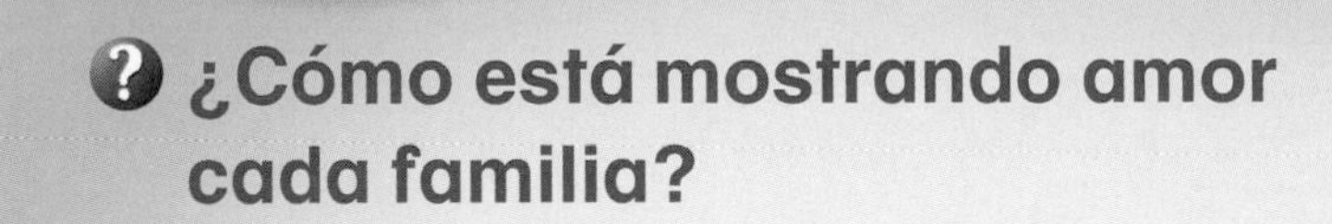

¿Cómo está mostrando amor cada familia?

Actividad Comparte tu fe

Piensa: ¿Cómo muestra amor tu familia?

Comunica: Di una manera en que tu familia comparte su amor.

Actúa: Haz un dibujo de tu familia compartiendo el amor de Dios.

Jorge's Family

There's Jorge and Mama and Papa, too, on a picnic in the park.

"Fetch the tennis ball, Scamp," Jorge says.

"I'll do it right now!" says Scamp with a bark.

❓ **How is each family showing love?**

Activity Share Your Faith

Think: How does your family show love?

Share: Tell one way your family shares love.

Act: Draw a picture of your family sharing God's love.

El Hijo de Dios

Análisis ¿Cómo era la familia de Jesús?

Jesús es el Hijo de Dios, pero es también humano. Se parece mucho a ti. Jesús te dice cómo hay que vivir y te enseña acerca del amor de Dios.

La Sagrada Familia

Hace mucho tiempo, Jesús nació en una familia. Vivió con su madre y con José, su padre adoptivo, en un pueblo llamado Nazaret. A Jesús, María y José se les conoce como la **Sagrada Familia**.

¿Qué sabes de la Sagrada Familia?

The Son of God

Focus **What was Jesus' family like?**

Jesus is the Son of God. Jesus is also human. He is like you in almost every way. Jesus shows you how to live. He teaches you about God's love.

The Holy Family

Long ago, Jesus was born into a family. Jesus lived with his mother and his foster father, Joseph. They lived in a town called Nazareth. Jesus, Mary, and Joseph are called the **Holy Family**.

What do you know about the Holy Family?

El Niño Jesús

Jesús obedecía a su familia. Se volvió sabio y bondadoso. Adquirió fortaleza. Dios estaba complacido con él, al igual que la gente.

Basado en Lucas 2, 51–52

Palabras de fe

A la familia humana de Jesús, María y José se le da el nombre de **Sagrada Familia**.

Un día en Nazaret

Todas las familias pueden compartir el amor de Dios. Cuando Jesús tenía tu edad, mostraba que en su familia estaba el amor de Dios. Esto es lo que pudo haber ocurrido en un día cuando Jesús era pequeño.

- La familia empezaba el día con una oración.
- María horneaba el pan para el desayuno.
- José hacía una silla para los vecinos.
- Jesús ayudaba a su papá a llevar la silla a los vecinos.

Actividad Practica tu fe

Haz una representación de la vida familiar Con un compañero, haz una representación de otras cosas que los miembros de la Sagrada Familia probablemente hayan hecho juntos. Luego representen algo que las familias puedan hacer para mostrar el amor de Dios.

SCRIPTURE Luke 2:51–52

The Boy Jesus

Jesus obeyed his family. He became wise and good. Jesus grew strong. God was pleased with him and so were the people.

Based on Luke 2:51–52

Words of Faith

The **Holy Family** is the name for the human family of Jesus, Mary, and Joseph.

A Day in Nazareth

All families can share God's love. When Jesus was your age, he showed God's love in his family. This is what could have happened when Jesus was young.

- The family begins the day with a prayer.
- Mary bakes bread for breakfast.
- Joseph makes a chair for neighbors.
- Jesus helps his dad carry it to them.

Activity Connect Your Faith

Act Out Family Life With a partner, role-play other things the Holy Family might have done together. Then role-play something families can do to show God's love.

Orar con la Palabra de Dios

Reúnanse y comiencen con la señal de la cruz.

Líder: Escuchemos la palabra de Dios.

Canten juntos.

¡Aleluya, aleluya! ¡Aleluya, alelú!

"Alleluia," Tradicional

Líder: Lectura del santo Evangelio según san Juan.

Lean Juan 5, 20.

Palabra del Señor.

Todos: Gloria a ti, Señor Jesús.

Pray with God's Word

Gather and begin with the Sign of the Cross.

Leader: Let us listen to the word of God.

Sing together.

Alleluia, alleluia, Alleluia, allelu!

"Alleluia," Traditional

Leader: A reading from the holy Gospel according to John.

Read John 5:20.

The Gospel of the Lord.

All: **Praise to you, Lord Jesus Christ.**

Repasar y aplicar

Comprueba lo que aprendiste Contesta a las siguientes preguntas.

1. Pon una X junto a las cosas que Jesús pudo haber hecho con su familia.

   _______ **orar** _______ **hablar** _______ **comer**

   _______ **jugar** _______ **visitar** _______ **ayudar**

2. ¿Quiénes son las tres personas que forman la Sagrada Familia?

3. Jesús escuchaba y obedecía a sus padres. Di cómo obedeces a tus padres y a tu familia.

Actividad Vive tu fe

La familia de tu salón de clases Cuando rezan, trabajan y juegan juntos, tu clase es como una familia. Elijan una actividad en la que crean que la clase actúa como una familia y represéntenla.

CHAPTER 5

Review and Apply

Check Understanding Answer the following questions.

1. Mark an X next to the things Jesus might have done with his family.

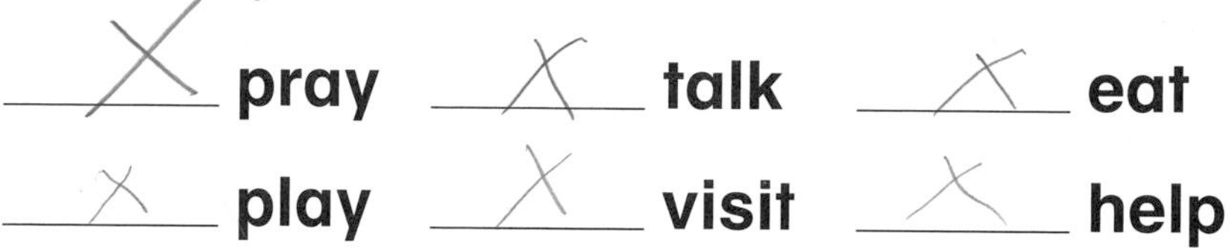

pray talk eat

play visit help

2. Who are the three people in the Holy Family?

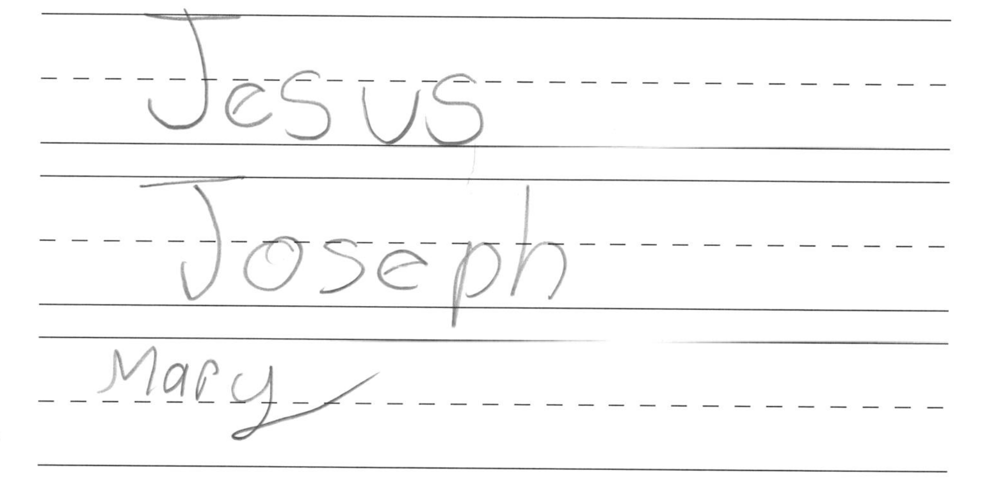

3. Jesus listened to and obeyed his parents. Tell how you obey your parents and family.

Activity Live Your Faith

A Classroom Family Your class is like a family when you pray, work, and play together. Decide on one way your class acts like a family. Act it out together.

CAPÍTULO 5

La fe en familia

Lo que creemos

- Jesús es Dios y hombre al mismo tiempo.
- Jesús, María y José forman la Sagrada Familia.

LA SAGRADA ESCRITURA

Lee Marcos 10, 13–16 para ver cómo quería Jesús que cuidáramos de los niños y las familias.

APRENDE en línea Visita **www.osvcurriculum.com** para encontrar recursos basados en el año litúrgico y lecturas semanales de la Sagrada Escritura.

Actividad

Vive tu fe

Honren a la Sagrada Familia Todas las familias pueden ser como la Sagrada Familia. Coloquen en su casa una estatua o un cuadro de la Sagrada Familia, o de María. Pidan a María, la madre de Jesús, que pida a su Hijo que los bendiga.

▲ Zacarías, Isabel y Juan, siglo I

Siervos de la fe

Isabel era prima de María. Estaba casada con **Zacarías**, y los dos amaban mucho a Dios. No tenían hijos. Un día, cuando Zacarías estaba orando en el templo, un ángel se le apareció. El ángel le dijo que su esposa iba a tener un hijo que estaría lleno del Espíritu Santo y al que deberían llamar Juan. Isabel y Zacarías se pusieron muy contentos. Ya adulto, a **Juan** se le conocía como Juan Bautista y enseñaba a la gente a entregar su corazón a Dios.

Una oración en familia

Queridos Isabel, Zacarías y Juan, oren por nosotros para que Dios bendiga a nuestra familia y nos de felicidad. Amén.

 CIC *Consulta el Catecismo de la Iglesia Católica, números 531 a 534, para obtener más información sobre el contenido del capítulo.*

CHAPTER 5

Family Faith

Catholics Believe

- Jesus is both God and man.
- Jesus, Mary, and Joseph are the Holy Family.

SCRIPTURE

Read Mark 10:13–16 to see how Jesus wanted us to care for children and families.

GO online **www.osvcurriculum.com**
For weekly Scripture readings and seasonal resources

Activity

Live Your Faith

Honor the Holy Family Every family can be like the Holy Family. Display a statue, a picture of the Holy Family, or a picture of Mary in your home. Pray to ask Mary, Jesus' mother, to ask her Son to bless your family.

People of Faith

Elizabeth was Mary's cousin. Zechariah and Elizabeth were married and loved God very much. They did not have children. One day an angel appeared to Zechariah when he was praying in the temple. The angel told him that his wife would have a son named **John**. He would be filled with the Holy Spirit. Elizabeth and Zechariah were filled with joy. When John grew up, he was known as John the Baptist. He taught people how to turn their hearts to God.

▲ Zechariah, Elizabeth, and John, first century

Family Prayer

Dear Elizabeth, Zechariah, and John, pray for us that God will bless our family with happiness. Amen.

CCC *In Unit 2 your child is learning about the TRINITY.*
See Catechism of the Catholic Church 531–534 for further reading on chapter content.

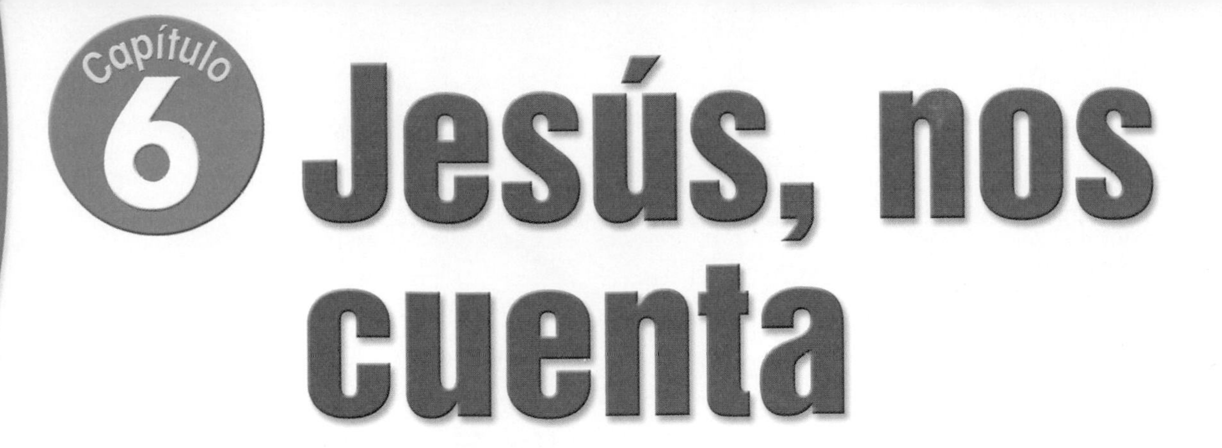

Líder: Dios, ayúdame a aprender de los relatos de tu Hijo.

"El Señor es mi pastor...".

Salmo 23, 1

Todos: Dios, ayúdame a aprender de los relatos de tu Hijo. Amén.

Actividad Comencemos

Un verdadero amigo Un día, don Oso vio a doña Ardilla sentada en un árbol. Él tenía mucha hambre y pensó que doña Ardilla sería un sabroso almuerzo, así que la atrapó por la cola.

Doña Chinche vio lo que hizo don Oso. ¡Y ella no permitiría que lastimara a su amiga! Así que voló directo a la cara de don Oso, revoloteando cerca de sus orejas y su nariz. ¡Don Oso estaba furioso! Tan furioso, que soltó a doña Ardilla… ¡Y doña Ardilla y doña Chinche se escaparon!

- ¿Qué aprendió doña Ardilla acerca de ser una buena amiga?

Jesus the Storyteller

Leader: God, help me learn from the stories of your Son.

"The LORD is my shepherd . . ."

Psalm 23:1

All: God, help me learn from the stories of your Son. Amen.

Activity Let's Begin

A True Friend One day Bear saw Squirrel sitting in a tree. Bear was very hungry. He thought Squirrel would be a tasty lunch. He grabbed Squirrel by the tail.

Bug saw what Bear did. Bug would not let Bear hurt her friend! So Bug flew right into Bear's face. She got close to his ears and his nose. Bear was mad! He was so mad that he dropped Squirrel. Squirrel and Bug quickly ran away!

- What did Squirrel learn about being a friend?

El pastor y las ovejas

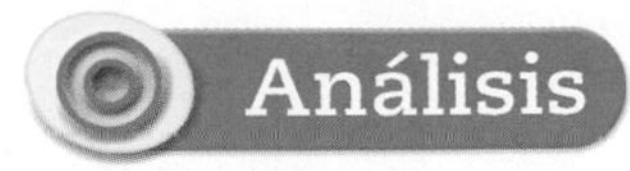

¿En qué se parece Dios a un pastor?

Jesús fue un narrador maravilloso. Sus relatos hablan del amor de Dios. Jesús contó este relato acerca de un pastor.

LA SAGRADA ESCRITURA — Lucas 15, 3–6

La oveja perdida

Había un pastor que cuidaba de cien ovejas. Una de las ovejas se escapó y el pastor estaba muy preocupado. Tuvo que dejar a todas las otras ovejas, pues tenía que buscar la que se había escapado.

El pastor encontró a la oveja perdida. Estaba muy feliz. Le contó a todos sus amigos y vecinos que había encontrado a su oveja.

Basado en Lucas 15, 3–6

¿Has perdido algo alguna vez? ¿Cómo te sentiste cuando lo encontraste?

The Shepherd and the Sheep

Focus How is God like a shepherd?

Jesus was a wonderful storyteller. His stories tell about God's love. Jesus told this story about a shepherd.

SCRIPTURE Luke 15:3–6

The Lost Sheep

There was a shepherd. He cared for 100 sheep. One sheep ran away. The shepherd was very worried. The shepherd left all his other sheep. He had to find the sheep that ran away.

The shepherd found the lost sheep. He was very happy. He told all his friends and neighbors that he had found his sheep.

Based on Luke 15:3–6

Have you ever lost something? How did you feel when you found it?

Dios te ama

En este relato, el pastor se parece a Dios. Las ovejas se parecen a las personas. Dios no quiere que lo dejes. Te cuida todo el tiempo.

Cuando tomas malas decisiones, te pareces a la oveja perdida. Dios quiere que siempre regreses a Él. Quiere que lo ames y que ames a los demás.

Actividad Comparte tu fe

Piensa: Algo malo pasó en el relato que Jesús contó. ¿Qué fue? ¿Qué hizo el pastor? ¿Cómo termina el relato?

Comunica: Comenta tus respuestas con el resto de la clase.

Actúa: Representen en grupos el relato de la oveja perdida.

God Loves You

In this story the shepherd is like God. The sheep are like people. God does not want you to leave him. He will watch over you all the time.

When you make bad choices, you are like the lost sheep. God always wants you to come back to him. He wants you to love him and others.

Activity Share Your Faith

Think: What went wrong in the story Jesus told? What did the shepherd do? How does the story end?

Share: Discuss your answers with the rest of the class.

Act: In groups act out the story of the lost sheep.

Relatos sobre Dios

Análisis ¿Qué es la Biblia?

Una parábola es un relato que nos enseña algo importante. El relato que acabas de leer sobre la oveja perdida es una **parábola**. Jesús contó parábolas para enseñar a la gente acerca de Dios.

Jesús es como un pastor, ama a todo el pueblo de Dios y lo cuida siempre. Lee esta parábola que Jesús contó.

LA SAGRADA ESCRITURA Juan 10, 14–15

El Buen Pastor

Yo soy el Buen Pastor y conozco a los míos como los míos me conocen a mí, lo mismo que el Padre me conoce a mí y yo conozco al Padre. Y yo doy mi vida por las ovejas.

Juan 10, 14–15

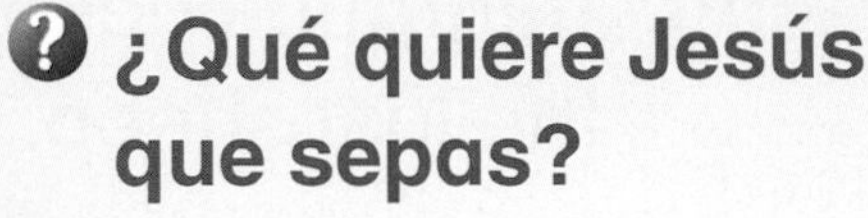

¿Qué quiere Jesús que sepas?

Stories About God

What is the Bible?

A parable is a story that teaches something important. The story you just read about the lost sheep is a **parable**. Jesus told parables to teach people about God.

Jesus is like a shepherd. He loves all God's people. He always cares for them. Read this parable that Jesus told.

SCRIPTURE John 10:14–15

The Good Shepherd

I am the good shepherd, and I know mine and mine know me, just as the Father knows me and I know the Father; and I will lay down my life for the sheep.

John 10:14–15

What does Jesus want you to know?

El libro sagrado

La parábola del Buen Pastor está en la Biblia. La Biblia es la Palabra de Dios escrita por los seres humanos. La Biblia es el libro sagrado de la Iglesia.

La Biblia tiene dos partes. La primera es el Antiguo Testamento. Trata de la época anterior al nacimiento de Jesús.

La segunda parte es el Nuevo Testamento. Habla de Jesús y de sus seguidores. Los relatos y las parábolas que Jesús contó forman parte del Nuevo Testamento.

Una **parábola** es un relato que Jesús contó y que nos enseña algo acerca de Dios.

Actividad Practica tu fe

Escribe acerca de la Biblia Busca el primer libro del Antiguo Testamento. Escribe el nombre del libro en el primer renglón. Busca el primer libro del Nuevo Testamento. Escribe el nombre del libro en el segundo renglón.

The Holy Book

The parable of the Good Shepherd is in the Bible. The Bible is God's word written down by humans. The Bible is the Church's holy book.

There are two parts to the Bible. The first part is the Old Testament. It is about times before Jesus was born.

The second part is the New Testament. It tells about Jesus and his followers. The stories and parables that Jesus told are part of the New Testament.

Words of Faith

A **parable** is a story Jesus told that teaches something about God.

Activity Connect Your Faith

Write About the Bible Find the first book in the Old Testament. Write the name of the book on the first line below. Find the first book of the New Testament. Write the name of it on the second line below.

Genesis

Mathew

Una oración de agradecimiento

Reúnanse y comiencen con la señal de la cruz.

Líder: Gracias, Jesús, por amarnos.

Todos: **Gracias, Jesús.**

Líder: Gracias, Jesús, por cuidarnos.

Todos: **Gracias, Jesús. Amén.**

Canten juntos.

Dios, Dios, Dios
es mi pastor,
Dios, Dios, Dios
es mi pastor,
Dios, Dios, Dios
es mi pastor,
Dios es mi pastor,
nada me faltará.

Canto espiritual afroamericano

Prayer of Thanks

Gather and begin with the Sign of the Cross.

Leader: Thank you, Jesus, for loving us.

All: **Thank you, Jesus.**

Leader: Thank you, Jesus, for taking care of us.

All: **Thank you, Jesus. Amen.**

Sing together the refrain.

The Lord, the Lord, the Lord
is my shepherd,
The Lord, the Lord, the Lord
is my shepherd,
The Lord, the Lord, the Lord
is my shepherd,
The Lord is my shepherd
and I shall not want.

African-American spiritual

Repasar y aplicar

A **Trabaja con palabras** Encierra en un círculo la respuesta correcta para cada enunciado.

1. La _______ es la Palabra de Dios escrita con palabras humanas.

   Biblia **oración**

2. El _______ habla de la vida y los relatos de Jesús.

   Antiguo Testamento **Nuevo Testamento**

3. Una _______ es un relato que nos enseña acerca de Dios y de su amor.

   oración **parábola**

B **Comprueba lo que aprendiste** Comenta tus respuestas.

En el relato de la oveja perdida, ¿a quién se parece el pastor en su manera de actuar? ¿A quién se parece la oveja en su manera de actuar?

Actividad Vive tu fe

Presenta una función de títeres Con bolsas de papel, haz los títeres del pastor y la oveja. Representa con ellos la parábola del Buen Pastor.

CHAPTER 6

Review and Apply

A **Work with Words** Circle the right answer for each sentence.

1. The ______ is God's word written in human words.

   Bible **prayer**

2. The ______ is about Jesus' life and stories.

   Old Testament **New Testament**

3. A ______ is a story that teaches about God and his love.

   prayer **parable**

B **Check Understanding** Share your answers.

In the story of the lost sheep, who does the shepherd act like? Who do the sheep act like?

Activity Live Your Faith

Put on a Puppet Play Make paper bag puppets of the shepherd and the sheep. Use the puppets to act out the parable of the Good Shepherd.

La fe en familia

Lo que creemos

- Jesús contó relatos, o parábolas, para enseñar acerca del amor de Dios.
- La Biblia es la Palabra de Dios escrita con palabras humanas.

LA SAGRADA ESCRITURA

Lee Mateo 13, 10–15 para saber por qué Jesús usaba parábolas para enseñar.

Visita **www.osvcurriculum.com** para encontrar recursos basados en el año litúrgico y lecturas semanales de la Sagrada Escritura.

Actividad

Vive tu fe

Vuelvan a contar las parábolas En familia, lean y comenten acerca de algunas de las parábolas que Jesús contó. El Evangelio según san Mateo es un buen lugar donde buscar. Con sus propias palabras, vuelvan a contar las parábolas que lean. Vayan a la biblioteca o a una librería y busquen libros ilustrados que tengan parábolas.

▲ Papa Juan XXIII (Angelo Roncalli), 1881–1963

Siervos de la fe

El **papa Juan XXIII** convocó a una reunión de todos los obispos del mundo. Quería que hablaran para encontrar maneras de vivir como Dios nos pide que lo hagamos. El papa Juan enseñó a la gente cómo llevarse bien. Sabía que las personas podían hallar la manera de vivir en paz y amistad. En el año 2000, fue nombrado beato.

Una oración en familia

Querido Dios, ayúdanos a parecernos al papa Juan y a encontrar maneras de llevarnos bien con los demás en la escuela, en el trabajo y en la casa. Amén.

 CIC *Consulta el Catecismo de la Iglesia Católica, números 134 a 139, para obtener más información sobre el contenido del capítulo.*

Unit 2 Review

Check Understanding Answer the questions.

1. Who are the three Persons in the Holy Trinity?

2. Who is the Son of God?

3. What can you find in the Bible?

UNIDAD 3

Jesucristo

Capítulo 7

Jesús sana

¿Cómo ayudó Jesús a las personas?

Capítulo 8

Jesús enseña a amar

¿Cuál es el mandamiento de Jesús?

Capítulo 9

Orar a Dios

¿Cómo oras?

¿Qué crees que aprenderás en esta unidad acerca de Jesús, el Hijo de Dios?

UNIT 3

God's Son

Chapter 7

Jesus Heals

How did Jesus help people?

Chapter 8

Jesus Teaches Love

What is Jesus' command?

Chapter 9

Pray to God

How do you pray?

What do you think you will learn in this unit about God's Son, Jesus?

Capítulo 7 Jesús sana

Oremos

Líder: Dios de misericordia, ayúdanos a cuidar de los enfermos.

"Sepan que por mí maravillas hace el Señor".

Salmo 4, 4

Todos: Dios de misericordia, ayúdanos a cuidar de los enfermos. Amén.

Actividad Comencemos

¿Cómo estás? "Ay, me siento mal". Dijo Jordán. "¡Parece que tuviera cientos de peces saltándome en la pancita! ¡Que mil gusanos estuvieran bailando dentro de mí! ¡Me duele mucho la pancita!".

- ¿Qué te hace sentir mejor cuando estás enfermo como Jordán?

Chapter 7 Jesus Heals

Let Us Pray

Leader: God of mercy, help us to care for the sick.

"Know that the LORD
works wonders for the faithful."

Psalm 4:4

All: God of mercy, help us to care for the sick. Amen.

Activity Let's Begin

How Are You? "Ooh," said Jordan. "I feel sick. It feels like hundreds of fish are doing flips in my tummy! A thousand worms are dancing a jig inside of me! My tummy really hurts!"

- What makes you feel better when you're sick like Jordan?

Muestra el amor de Dios

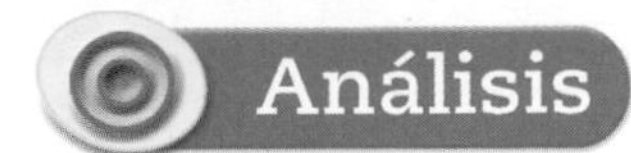

¿Cómo ayudaba la madre Teresa a las personas?

La madre Teresa cuidaba de los pobres y los enfermos en la India. Lee cómo mostraba la madre Teresa el amor de Dios.

UNA BIOGRAFÍA

El cuidado de los enfermos

Las calles de Calcuta (en la India) estaban llenas de gente. Había muchas personas enfermas que vivían en la calle.

La madre Teresa vio a un hombre enfermo que tenía la ropa sucia. Estaba cubierto de barro y había perdido mucho peso. El hombre se estaba muriendo.

La madre Teresa le sonrió. Nunca nadie antes le había sonreído. Ella y otra hermana lo llevaron al hospital.

La madre Teresa tenía un hospital para personas que estaban muriendo. Allí, ella y otras mujeres cuidaban de los que estaban muy enfermos. Tomaban las manos de los moribundos, y oraban con ellos y por ellos.

¿Qué oración puedes rezar por alguien que está enfermo?

Show God's Love

Focus **How did Mother Teresa help people?**

Mother Teresa cared for the poor and sick in India. Read about how Mother Teresa showed God's love.

A BIOGRAPHY

Care for the Sick

The streets of Calcutta, India, were very crowded with people. Many people were sick. They lived on the streets.

Mother Teresa saw a sick man. His clothes were dirty. He was covered with mud and very thin. The man was dying.

Mother Teresa smiled at him. No one ever smiled at him. She and another nun took him to their hospital.

Mother Teresa had a hospital for the dying. There she and other women cared for people who were very sick. They held hands with dying people. They prayed with them and for them.

What prayer can you say for someone who is sick?

La bondad de Dios

La madre Teresa sabía que en todas las personas está la bondad de Dios. Las personas a las que cuidaba podían oír amor en su voz. Podían ver amor en su dulce sonrisa. Podían sentir el amor de Dios cuando ella las tocaba.

Actividad

Comparte tu fe

Piensa: Piensa en lo que podría haber dicho la madre Teresa a un niño enfermo.

Comunica: Habla sobre tus ideas con un grupo pequeño de compañeros.

Actúa: Haz una tarjeta para un niño enfermo. Envíala por correo o entrégala personalmente.

Que te mejores

God's Goodness

Blessed Mother Teresa knew that God's goodness is in all people. The people she helped could hear love in her voice. They could see love in her sweet smile. They could feel God's love in her touch.

The Church first used the title Blessed for Mother Teresa in 2003.

Activity — Share Your Faith

Think: Think about what Mother Teresa might have said to a sick child.

Share: Talk about your ideas in small groups.

Act: Make your own card for a sick child. Mail it or deliver it yourself.

El poder de Dios

Análisis ¿Por qué sanaba Jesús a las personas?

La madre Teresa seguía el ejemplo de Jesús. Ella amaba a los enfermos y cuidaba de ellos.

Cuando Jesús veía a una persona enferma, se entristecía. Hacía todo lo que podía para ayudar a quienes lo necesitaban.

Jesús sanaba a las personas. Cuando hacía esto, se manifestaba el poder y el amor de Dios. A menudo también se producía un cambio en el corazón de esas personas. Veían el amor y el poder de Dios en Jesús. Empezaban a creer en Jesús.

Palabras de fe

La **fe** es el don de creer en Dios y en todo lo que Él ha dicho sobre sí mismo.

¿Por qué crees que Jesús podía sanar a las personas?

God's Power

Focus **Why did Jesus heal people?**

Words of Faith

Faith is the gift of believing in God and all that he has told about himself.

Mother Teresa followed Jesus' example. She loved and cared for the sick.

When Jesus saw sick people, he was sad. He did whatever he could to help people who needed him.

Jesus healed people. He made them well. When Jesus healed people, it was a sign of God's power and love. When Jesus healed people, they often changed their hearts, too. They saw God's love and power in Jesus. They came to believe in Jesus.

Why do you think Jesus could heal people?

LA SAGRADA ESCRITURA Lucas 8, 40–56

Ten fe

Un día un hombre llamado Jairo se acercó a Jesús y le dijo: "Mi hija está muy enferma, y sé que tú la puedes ayudar".

Jesús aceptó ayudarla. Mientras iban caminando a la casa de Jairo, se acercó un sirviente que le dijo a este: "Es demasiado tarde. Tu hija ha muerto".

Jesús dijo a Jairo: "No temas: basta que creas, y tu hija se salvará. Basta que tengas **fe** ".

Luego Jesús entró en la casa, tomó la mano de la hija y le dijo: "Niña, levántate". La niña volvió a respirar y se levantó. Los padres se pusieron muy contentos.

Basado en Lucas 8, 40–56

¿Qué hizo Jesús? ¿Por qué lo hizo?

Actividad Practica tu fe

Cuenta el relato Cuenta el relato con tus propias palabras y escribe algo que hayas aprendido él.

Have Faith

One day a man named Jairus came to Jesus. Jairus said, "My daughter is very sick. I know you can help her."

Jesus agreed. On the way to Jairus's house, a servant came. "It is too late," he said to Jairus. "Your daughter is dead."

Jesus told Jairus, "Do not be afraid; just have **faith** and she will be saved."

Then Jesus went into the house and took the daughter's hand. Jesus said, "Child, arise!" The girl's breath returned, and she got up. Her parents were full of joy.

Based on Luke 8:40–56

What did Jesus do? Why did Jesus do it?

Activity Connect Your Faith

Tell the Story Retell the story in your own words. Write one thing you learned from it.

Una oración por la curación

Reúnanse y comiencen con la señal de la cruz.

Canten juntos el estribillo.

Sánanos, sánanos hoy.
Sánanos, Señor Jesús.

Líder: Jesús, Hijo de Dios,
oramos por los enfermos.
Por los niños enfermos, oramos.

Todos: Ayúdalos a estar fuertes
y sanos otra vez.

Líder: Por todos los enfermos,
oramos.

Todos: Ayúdalos a estar fuertes
y sanos otra vez.
¡Amén!

Prayer for Healing

Gather and begin with the Sign of the Cross.

Sing together the refrain.

Heal us, heal us today.
Heal us, Lord Jesus.

"When Jesus the Healer," Peter D. Smith © 1978, Stainer & Bell, Ltd. (administered by Hope Publishing Co.)

Leader: Jesus, Son of God,
we pray for those who are sick.
For children who are sick, we pray.

All: **Help them be strong and well again.**

Leader: For all people who are sick, we pray.

All: **Help them be strong and well again. Amen!**

Repasar y aplicar

Comprueba lo que aprendiste

1. Menciona una cosa que haya hecho la madre Teresa para mostrar el amor de Dios a las personas.

2. ¿Qué hizo Jesús para mostrar el poder y el amor de Dios?

3. ¿Qué es la fe?

Actividad Vive tu fe

Brinda sonrisas En papelitos adheribles haz mensajes con frases y dibujos que harán sonreír a tus familiares. Dáselos cuando estén enfermos, solos o tristes.

Review and Apply

Check Understanding

1. Name one thing Mother Teresa did to show God's love to people.

She cared for [illegible]

2. What did Jesus do to show God's power and love?

Jesus brought the girl back to life because the father had faith.

3. What is faith?

The gift of believe and knowing in god.

Activity Live Your Faith

Make Smiles Create sticky notes with sayings and drawings that will make your family smile. Give your notes to them when they are sick, lonely, or sad.

CAPÍTULO 7

La fe en familia

Lo que creemos

- Las acciones sanadoras de Jesús demuestran el poder y el amor de Dios.
- La fe es el don de creer en Dios.

LA SAGRADA ESCRITURA

Lee Mateo 8, 5–13 para aprender acerca de otra persona a la que Jesús curó.

Visita **www.osvcurriculum.com** para encontrar recursos basados en el año litúrgico y lecturas semanales de la Sagrada Escritura.

Actividad

Vive tu fe

Haz listas con tus familiares Pide a cada miembro de tu familia que haga una lista de "objetos reconfortantes" que lo ayuden a sentirse bien. Podrían elegir un animal de peluche, una almohada especial, un par de pantuflas o un símbolo religioso, tal como una cruz. Cuando algún familiar esté enfermo, los demás le pueden dar sus objetos reconfortantes para ayudarlo a sentirse mejor.

De niña, **santa Luisa** tuvo una vida difícil. Se preocupaba por los pobres y los enfermos. Quería mostrar el amor de Dios ayudando a los demás. Después de la muerte de su esposo, Luisa conoció a san Vicente de Paúl, y juntos fundaron las Hijas de la Caridad. Las mujeres de esta asociación trabajaban en hospitales, hogares, cárceles y zonas de guerra. Hoy en día, aún hay más de 25,000 Hijas de la Caridad que ayudan a los demás. La Iglesia celebra el día de Santa Luisa el 15 de marzo.

▲ **Santa Luisa de Marillac, 1591–1660**

Una oración en familia

Querida santa Luisa, ruega por nosotros para que brindemos alegría a los que están tristes o enfermos. Amén.

 CIC *Consulta el Catecismo de la Iglesia Católica, números 547 a 550, para obtener más información sobre el contenido del capítulo.*

CHAPTER 7

Family Faith

Catholics Believe

- Jesus' healing actions show God's power and love.
- Faith is the gift of believing in God.

Read Matthew 8:5–13 about another person Jesus healed.

www.osvcurriculum.com
For weekly Scripture readings and seasonal resources

Activity

Live Your Faith

Make Family Lists Have each family member make a list of "comfort items" that help him or her feel good. You might choose a stuffed animal, a special pillow, a pair of slippers, or a religious symbol, such as a cross. When one family member is sick, the others can bring the comfort items to help the person feel better.

People of Faith

▲ Saint Louise de Marillac, 1591–1660

As a child, **Saint Louise** had a difficult life. She cared about the poor and the sick. Louise wanted to share God's love by helping others. After her husband died, Louise met Saint Vincent de Paul. They started the Daughters of Charity. These women worked in hospitals, homes, prisons, and during wars. There are still over 25,000 Daughters of Charity helping others. The Church celebrates her feast day on March 15.

Family Prayer

Dear Saint Louise, pray for us that we may bring cheer to those who are feeling sad or sick. Amen.

In Unit 3 your child is learning about JESUS CHRIST.

CCC *See Catechism of the Catholic Church 547–550 for further reading on chapter content.*

Jesús enseña a amar

Líder: Dios, queremos seguir tus enseñanzas.
"Quiero observar tu Ley constantemente,
por siempre jamás".

Salmo 119, 44

Todos: Dios, queremos seguir tus enseñanzas.
Amén.

Actividad Comencemos

Los regalos preferidos

¿Cuáles son algunos de los regalos que más te gustan?

¿Una muñeca, un juego, una bicicleta?

- Habla de algún regalo especial que hayas recibido. Luego habla de algún regalo que hayas dado.

Chapter

8 Jesus Teaches Love

Let Us Pray

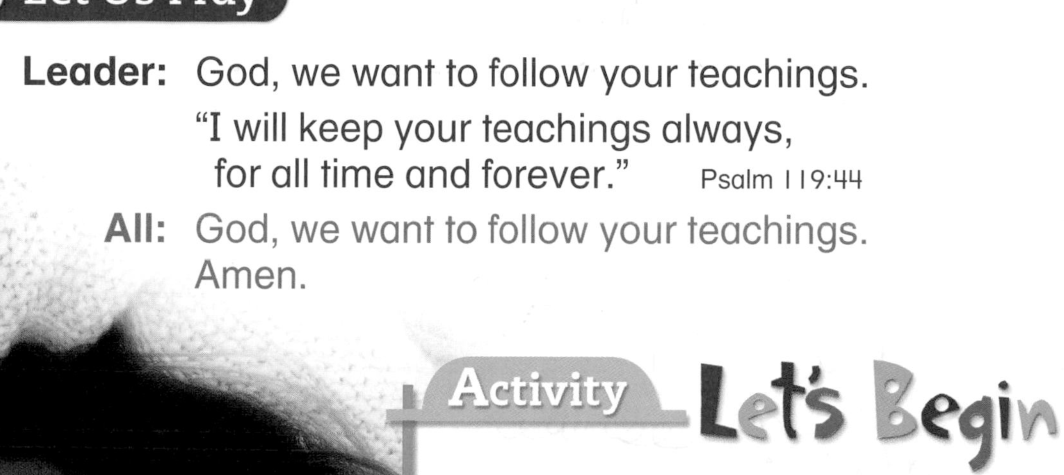

Leader: God, we want to follow your teachings.
"I will keep your teachings always,
for all time and forever." Psalm 119:44

All: God, we want to follow your teachings. Amen.

Activity Let's Begin

Favorite Gifts

What are some gifts you really like?

A doll, a game, a bike?

- Talk about a special gift you have received. Then talk about a gift you have given.

Regalos de amor

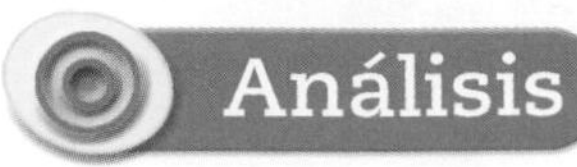

¿Qué regalo puedes dar?

UN RELATO

El regalo

—Mami, ¿qué puedo hacer para el cumpleaños del abuelito? —preguntó Tomi.

—Pensemos. ¿Qué les gusta hacer a ti y al abuelito? —dijo la mamá.

—Nos gusta construir cosas y también jugar a la pelota —contestó Tomi.

—¿Y algo más? —preguntó la mamá.

—¡Sí! —dijo Tomi—. A él le gustan mis dibujos. Siempre los guarda. ¡Ya sé qué hacer! ¡Gracias, mami!

¿Qué crees que dará Tomi al abuelito?

Gifts of Love

What gift can you give?

A STORY

The Gift

Timmy asked, "Mom, what can I do for Grandpa's birthday?"

Mom said, "Let's think. What do you and Grandpa like to do?"

"We like to build things. He plays ball with me, too," said Timmy.

Mom asked, "Is there anything else?"

"Yes!" Timmy said. "He likes my drawings. He always saves them. I've got it! Thanks, Mom!"

What do you think Timmy will give Grandpa?

El día del cumpleaños del abuelito, Tomi le dio un regalo.

Era un dibujo de ellos dos jugando a la pelota y montando en bicicleta. Tomi también dibujó la pajarera que hicieron juntos. El dibujo decía: "Te amo, abuelito".

—Gracias, Tomi —dijo el abuelito—. ¡Este es el mejor regalo! Lo colgaré para que todos lo vean.

—¡Qué bien! —dijo Tomi contento—. ¡Vamos a jugar a la pelota!

Actividad Comparte tu fe

Piensa: ¿Cómo mostró Tomi su amor con el regalo?

Comunica: ¿Cómo puedes mostrar tú amor por los demás? Habla con un compañero sobre tu respuesta.

Actúa: Pon una X junto a las maneras en que muestras que amas a Dios y a los demás.

_______ Prestas tus juguetes.

_______ Ayudas a lavar los platos.

_______ Peleas por un lugar en la fila.

_______ Oras todos los días.

On Grandpa's birthday, Timmy gave him a gift.

It was a drawing of Timmy and Grandpa playing ball and riding bikes. Timmy also drew the birdhouse they made together. The picture said "I love you, Grandpa."

"Thank you, Timmy," said Grandpa. "This is the best gift! I will hang it up for everyone to see."

"Great!" Timmy said happily. "Let's go play catch!"

Activity

Share Your Faith

Think: How did Timmy show love with his gift?

Share: How can you show love for others? Talk about your answer with a partner.

Act: Mark an X next to the ways to show that you love God and others.

__X__ Share your toys.

__X__ Help do the dishes.

_____ Fight about your place in line.

__X__ Pray every day.

Jesús enseña

¿Qué dijo Jesús acerca del amor?

El dibujo de Tomi fue un signo del amor que siente por su abuelito. Escucha este relato de la Biblia acerca del amor.

LA SAGRADA ESCRITURA **Lucas 10, 25–28**

Léemelo

Amar al prójimo

Un día un hombre dijo: "Quiero ser feliz con Dios para siempre. ¿Qué debo hacer?".

Jesús le preguntó: "¿Qué está escrito en la Escritura?".

El hombre contestó: "Amarás al Señor tu Dios con todo tu corazón, con toda tu alma, con todas tus fuerzas y con toda tu mente; y amarás a tu prójimo como a ti mismo".

Jesús exclamó: "¡Excelente respuesta!".

Tomado de Lucas 10, 25–28

¿Cuánto debes amar a Dios y a tu prójimo?

Jesus Teaches

Focus **What did Jesus say about love?**

Timmy's drawing was a sign of his love for his Grandpa. Listen to this Bible story about love.

SCRIPTURE **Luke 10:25–28**

Read to Me

Loving Others

One day a man said, "I want to be happy with God forever. What should I do?"

Jesus asked, "What is written in the law?"

The man replied, "You shall love the LORD, your God, with all your heart, with all your being, with all your strength, and with all your mind, and your neighbor as yourself."

Jesus said, "You have answered correctly."

From Luke 10:25–28

How much should you love God and others?

El gran mandamiento

Un mandamiento es una ley que Dios hizo para que la gente la obedeciera. El mandamiento más importante es amar a Dios y al prójimo. Esta ley se llama **gran mandamiento**.

El gran mandamiento te enseña a amar a Dios más que a cualquier otra cosa. También te dice que ames al prójimo como te amas a ti msmo.

Palabras de fe

El **gran mandamiento** es amar a Dios sobre todas las cosas y amar a tu prójimo como a ti mismo.

¿Cuáles son algunas maneras en las que los padres muestran amor por sus hijos?

Practica tu fe

Hagan una cadena del gran mandamiento

Hagan dibujos sobre tiras de papel de colores. Los dibujos deben mostrar amor por Dios y por el prójimo. Trabajen en grupo para unir las tiras y hacer eslabones. Hagan una cadena y cuélguenla en el salón de clases.

The Great Commandment

A commandment is a law that God made for people to obey. Loving God and others is the most important commandment. This law is called the **Great Commandment**.

The Great Commandment teaches you to love God more than anything. It also tells you to love others as you love yourself.

The **Great Commandment** is to love God above all else and to love others the way you love yourself.

What are some ways parents show love to their children?

Connect Your Faith

Make a Great Commandment Chain Draw pictures on strips of colored paper. The pictures should show your love for God and others. Work in groups to put the links together. Hang the chain across the classroom.

Ora con la Palabra de Dios

Reúnanse y comiencen con la señal de la cruz.

Líder: Bendito sea Dios.

Todos: **Bendito sea Dios por siempre.**

Líder: Lectura del santo Evangelio según san Mateo.

Lean Mateo 5, 14–16.

Palabra del Señor.

Todos: **Gloria a ti, Señor Jesús.**

Canten juntos.

Mi pequeñita luz,
la dejaré brillar.
Mi pequeñita luz,
la dejaré brillar.
Mi pequeñita luz,
la dejaré brillar.
Brillará, brillará, brillará.

"This Little Light of Mine," canto espiritual afroamericano

Pray with God's Word

Gather and begin with the Sign of the Cross.

Leader: Blessed be God.

All: **Blessed be God forever.**

Leader: A reading from the holy Gospel according to Matthew.

Read Matthew 5:14–16.

The Gospel of the Lord.

All: **Praise to you, Lord Jesus Christ.**

Sing together.

This little light of mine,
I'm gonna let it shine;
This little light of mine,
I'm gonna let it shine;
This little light of mine,
I'm gonna let it shine,
Let it shine, let it
shine, let it shine.

"This Little Light of Mine," African-American spiritual

Repasar y aplicar

Trabaja con palabras Encierra en un círculo la palabra que complete correctamente cada enunciado.

1. Un mandamiento es una ______ que Dios hizo para que la gente la obedeciera.

   parabola **ley**

2. ______ enseñó el gran mandamiento.

   Jesús **Jairo**

3. El gran mandamiento comienza diciendo que hay que ______ a Dios.

   amar **conocer**

Actividad Vive tu fe

Canta acerca de tu amor Canta una canción que muestre que amas a los demás. Escribe las palabras que faltan de la canción.

Si en verdad tienes amor,

____

____

______________________________.

Si en verdad tienes amor,
muéstralo con gran valor.
Si en verdad tienes amor,

____

____

______________________________.

Review and Apply

Work with Words Circle the correct word to complete each sentence.

1. A commandment is a law God made for people to obey.

   parable **law**

2. _______ taught the Great Commandment.

   Jesus **Jairus**

3. The Great Commandment begins with _______ God.

   loving **knowing**

Activity Live Your Faith

Sing Your Love Sing ways to show that you love others. Fill in the missing words to the song.

If you're loving and you know it,

____

_______________________________________.

If you're loving and you know it,
Then you really ought to show it.
If you're loving and you know it,

____

_______________________________________.

La fe en familia

Lo que creemos

- El gran mandamiento es uno de los mandatos de Dios.
- Debes amar a Dios sobre todas las cosas y a tu prójimo como a ti mismo.

LA SAGRADA ESCRITURA

Lee sobre los Diez Mandamientos en Éxodo 20, 1–17.

APRENDE en línea Visita **www.osvcurriculum.com** para encontrar recursos basados en el año litúrgico y lecturas semanales de la Sagrada Escritura.

Actividad

Vive tu fe

Hagan un corazón Recorten un gran corazón de papel y pónganlo donde todos puedan verlo. Cuando alguno de ustedes muestre amor por Dios o por el prójimo, dibujen un corazón rojo en el corazón grande. Al final de la semana cuenten los corazones. Recen una oración para agradecer a Dios por el amor que hay entre ustedes.

▲ Santo Tomás de Villanueva, 1488–1555

Siervos de la fe

Tomás fue maestro, monje y obispo en España. Se le conocía como el "dadivoso". Daba dinero a los que no tenían nada. La gente pobre oía hablar de Tomás y hacía fila en la puerta de su casa para recibir alimentos y dinero. Tomás fundó hogares para muchos niños huérfanos y pagó para que liberaran a muchos esclavos. La Iglesia Católica celebra su día el 22 de septiembre.

Una oración en familia

Santo Tomás, ruega por nosotros para que cuidemos de los que no tienen dinero y de los que tienen hambre. Amén.

 CIC Consulta el Catecismo de la Iglesia Católica, números 2052 a 2055, para obtener más información sobre el contenido del capítulo.

CHAPTER 8

Family Faith

Catholics Believe

- The Great Commandment is one of God's laws.
- You are to love God above all else and love others as you love yourself.

SCRIPTURE

Read about the Ten Commandments in Exodus 20:1–17.

www.osvcurriculum.com
For weekly Scripture readings and seasonal resources

Activity

Live Your Faith

Make a Heart Cut out a large paper heart, and put it where all can see it. When you see someone show love for God or others, draw a red heart on the large heart. Count the hearts at the end of the week. Say a prayer thanking God for the love in your family.

▲ Saint Thomas of Villanova, 1488–1555

People of Faith

Thomas was a teacher, a monk, and a bishop in Spain. He was known as the "almsgiver." He gave his money to people who had nothing. People who were poor heard about Thomas. They lined up outside his house to receive food and money. Thomas found homes for many orphaned children. He paid to free many slaves. The Catholic Church celebrates Saint Thomas's special day on September 8.

Family Prayer

Saint Thomas, pray for us that we may care for people who have little money and people who are hungry. Amen.

In Unit 3 your child is learning about JESUS CHRIST.

CCC *See Catechism of the Catholic Church 2052–2055 for further reading on chapter content.*

Capítulo 9 Orar a Dios

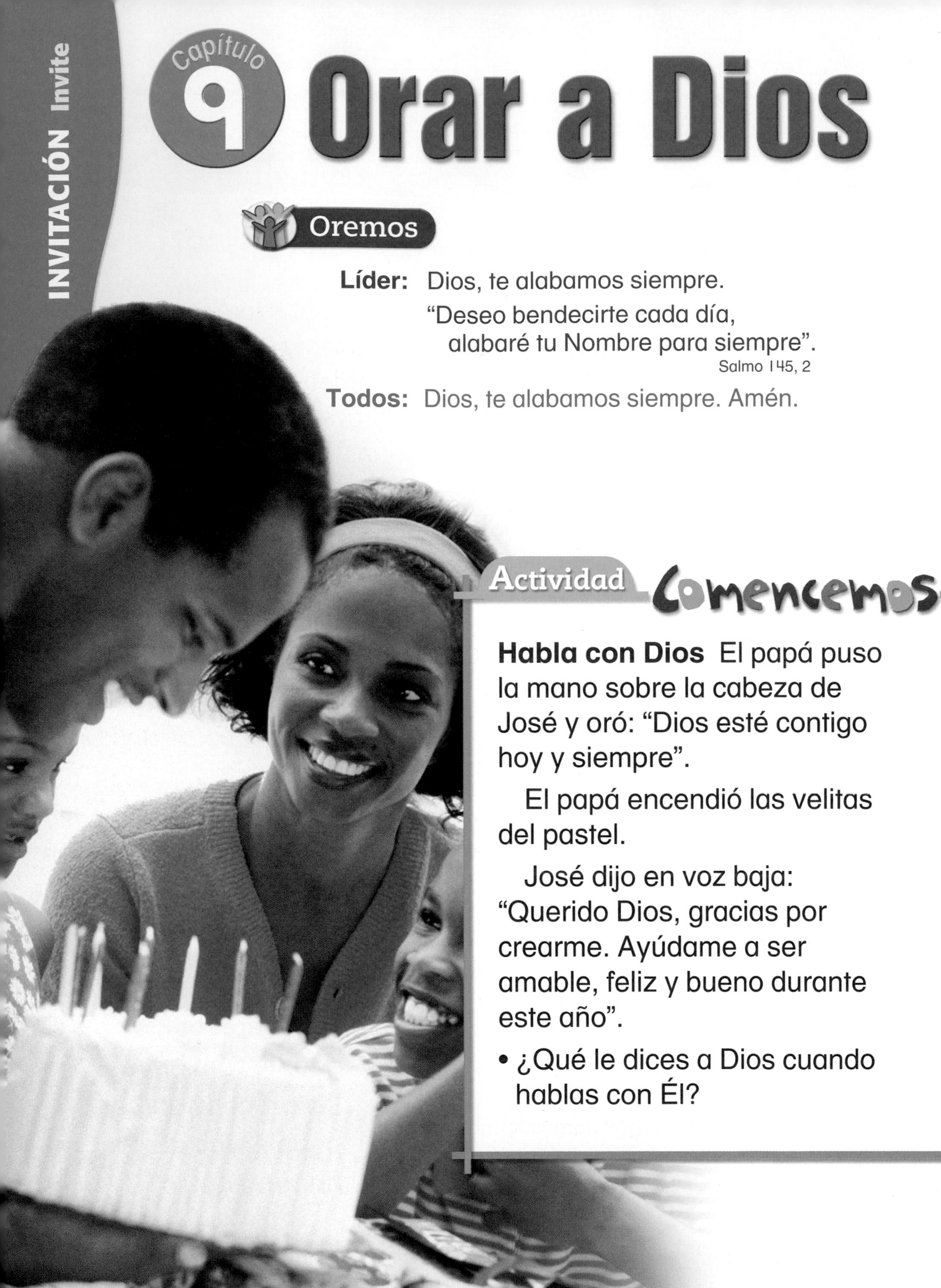

Oremos

Líder: Dios, te alabamos siempre.
"Deseo bendecirte cada día,
alabaré tu Nombre para siempre".
Salmo 145, 2

Todos: Dios, te alabamos siempre. Amén.

Actividad Comencemos

Habla con Dios El papá puso la mano sobre la cabeza de José y oró: "Dios esté contigo hoy y siempre".

El papá encendió las velitas del pastel.

José dijo en voz baja: "Querido Dios, gracias por crearme. Ayúdame a ser amable, feliz y bueno durante este año".

- ¿Qué le dices a Dios cuando hablas con Él?

Chapter 9 Pray to God

Let Us Pray

Leader: God, we praise you always.
"Every day I will bless you;
I will praise your name forever."
Psalm 145:2

All: God, we praise you always. Amen.

Activity Let's Begin

Talk to God Dad placed his hand on Lamont's head. He prayed, "May God be with you today and always."

Dad lit the candles on the cake.

Lamont said quietly, "Dear God, thank you for making me. Help me to be kind, happy, and good this year."

- What do you say to God when you talk to him?

Permanece cerca de Dios

¿Cuáles son algunas maneras de orar?

Hablar con tus familiares y amigos te hace sentir más cerca de ellos. La acción de hablar con Dios y escucharlo se llama **oración**.

Dios quiere que seas su amigo. Quiere que le ores. Cuando oras, te sientes cerca de Dios.

Las oraciones de bendición se usan para agradecer a Dios por las cosas que Él te da. Le piden a Dios que siga cuidando de ti y de los demás.

¿Cuándo has escuchado oraciones de bendición?

Stay Close to God

Focus **What are some ways to pray?**

Talking with family and friends helps you feel close to them. Talking with and listening to God is called **prayer**.

God wants you to be his friend. God wants you to pray to him. You feel close to God when you pray.

Blessing prayers thank God for the good things he gives you. They ask God to keep caring for you and others.

When have you heard blessing prayers?

Ora en cualquier lugar

Puedes orar en cualquier lugar. Puedes hablar a Dios en casa o en la iglesia. Puedes orar en el salón de clases o en el patio de recreo.

En donde estés, Dios te escuchará. Puedes decir tu propia oración. Puedes decir oraciones de la Iglesia. Puedes orar en silencio o en voz alta.

Empieza la oración agradeciendo a Dios Padre por todo lo que te da.

Palabras de fe

La **oración** es la acción de hablar con Dios y escucharlo.

Actividad Comparte tu fe

Piensa: Piensa en los dones que Dios te da y que te hacen feliz.

Comunica: Habla de las cosas por las que debes estar agradecido.

Actúa: Haz un dibujo de algo que te haga feliz, y di una oración de agradecimiento a Dios.

Pray Anywhere

You can pray wherever you are. You can talk to God at home or in church. You can pray in your classroom or on the playground.

Wherever you are, God will hear you. You can say your own prayer. You can say prayers of the Church. You can pray silently or out loud.

Begin your prayer by thanking God the Father for all that he gives you.

Prayer is listening to and talking with God.

Activity Share Your Faith

Think: Think of gifts that God gives you that make you happy.

Share: Discuss things to be thankful for.

Act: Draw a picture of something that makes you happy, and say a prayer of thanks to God.

Aprende a orar

¿Qué oración especial dio Jesús a sus seguidores?

Para comunicarte con Dios puedes aprender canciones, palabras y maneras de actuar. Las puedes usar para orar en cualquier momento que lo desees.

La familia de la Iglesia puede aprender de la Biblia cómo orar unida.

Efesios 5, 18–20

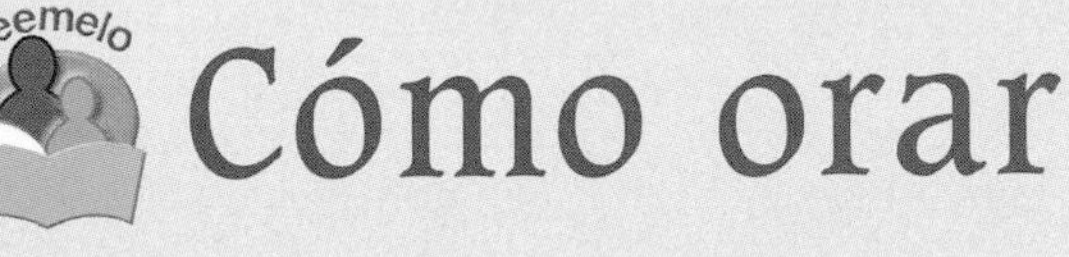

Cómo orar

Llénense del Espíritu Santo. Canten salmos, himnos y canciones espirituales. Canten y oren con el corazón. Den gracias siempre y por todas las cosas. Oren a Dios Padre en el nombre de Cristo Jesús.

Basado en Efesios 5, 18–20

¿Cuáles son algunas de las maneras en las que oras a Dios?

Learn to Pray

Focus **What special prayer did Jesus give his followers?**

You can learn songs, words, and actions to talk with God. You can use them to pray any time you wish.

The Church family can learn from the Bible to pray together.

SCRIPTURE Ephesians 5:18–20

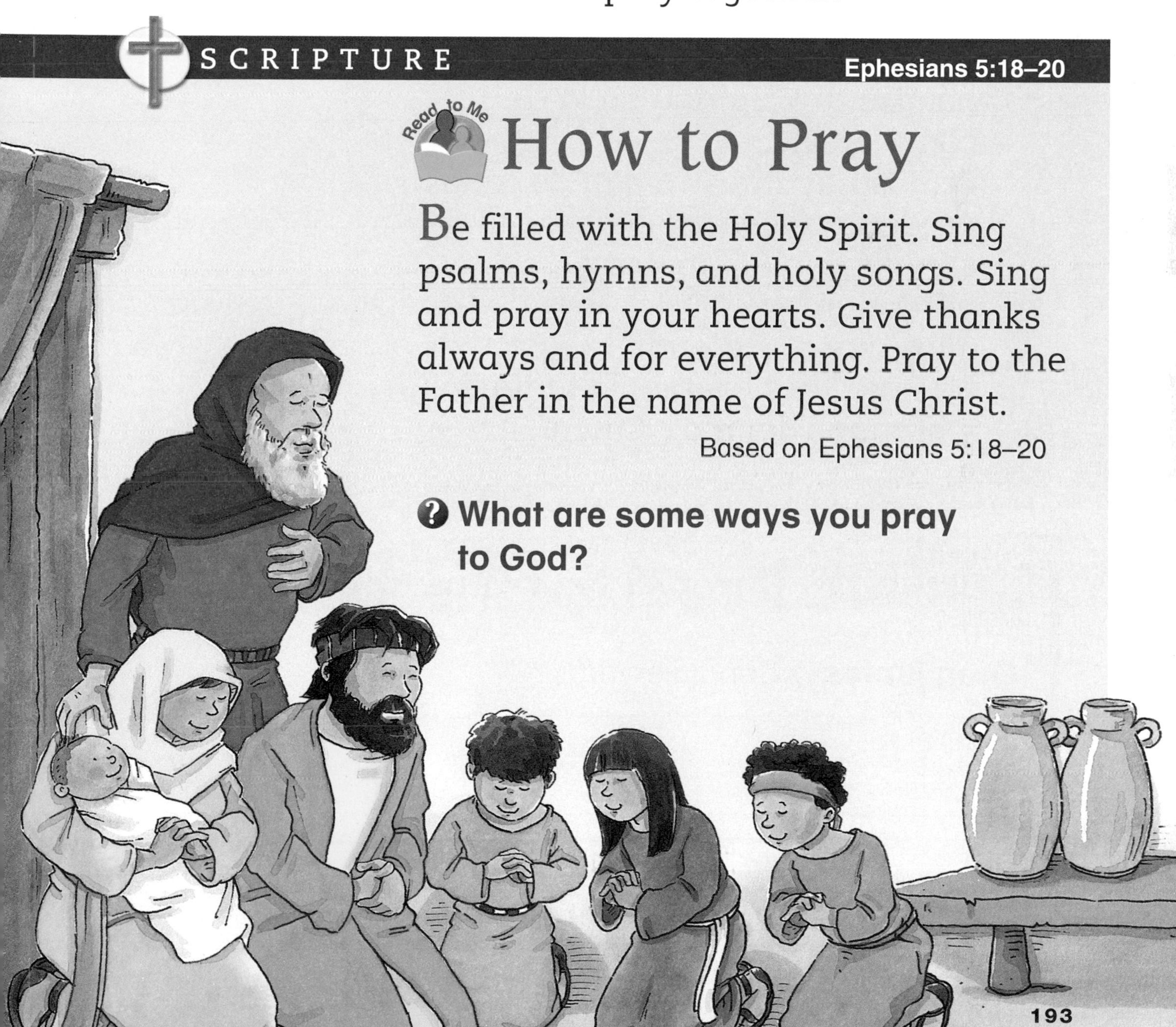

How to Pray

Be filled with the Holy Spirit. Sing psalms, hymns, and holy songs. Sing and pray in your hearts. Give thanks always and for everything. Pray to the Father in the name of Jesus Christ.

Based on Ephesians 5:18–20

? What are some ways you pray to God?

La Oración del Señor

En Misa se reza una oración muy importante que se llama **Oración del Señor**.

Jesús enseñó a sus amigos a orar de esta manera.

La Oración del Señor

Padre nuestro, que estás en el cielo,
santificado sea tu Nombre;
venga a nosotros tu reino;
hágase tu voluntad en la tierra
como en el cielo.
Danos hoy nuestro pan de cada día;
perdona nuestras ofensas,
como también nosotros
perdonamos
a los que nos ofenden;
no nos dejes caer en la tentación,
y líbranos del mal. Amén.

Palabras de fe

La **Oración del Señor** es la oración que Jesús enseñó. También se le llama Padre Nuestro.

Actividad Practica tu fe

Oren juntos ¿Con quién oras?

The Lord's Prayer

At Mass, you pray a very important prayer called the **Lord's Prayer**.

Jesus taught his friends to pray this way.

Words of Faith

The **Lord's Prayer** is the prayer that Jesus taught. It is also called the Our Father.

The Lord's Prayer

Our Father, who art in heaven,
hallowed be thy name;
thy kingdom come,
thy will be done
on earth as it is in heaven.
Give us this day our daily bread,
and forgive us our trespasses,
as we forgive those who trespass
against us;
and lead us not into temptation,
but deliver us from evil. Amen.

Activity Connect Your Faith

Pray Together Who do you pray with?

I pray with my family.

Una oración de agradecimiento

Reúnanse y comiencen con la señal de la cruz.

Líder: Levantemos nuestro corazón al Señor.

Todos: Es justo darle gracias y alabanza.

Líder: Tomen turnos para decir a Dios por qué están alegres sus corazones. Después de que cada niño haya orado, cantaremos este estribillo.

Canten juntos el estribillo.

Proclamaré sin cesar la
misericordia del Señor.

Prayer of Thanks

Gather and begin with the Sign of the Cross.

Leader: We lift our hearts to the Lord.

All: It is right and just.

Leader: Take turns telling God why you have a happy heart. We will sing this refrain after each child has prayed.

Sing together the refrain.

For ever I will sing
the goodness of the Lord.

Repasar y aplicar

Trabaja con palabras Completa el espacio en blanco con una palabra del vocabulario

VOCABULARIO
oración
del Señor
Padre

1. La ____________________ es la acción de hablar con Dios y escucharlo.

2. Un nombre con el que puedes llamar a Dios cuando ____________________ oras es ____________________.

3. Jesús enseñó a sus amigos a rezar la Oración ____________________ ____________________.

Actividad Vive tu fe

Piden bendiciones Escribe el nombre de personas que ames en pedacitos de papel. Decora una caja y pon dentro los papeles. Cada día saca un papel y ora para pedir a Dios que bendiga a esa persona.

Review and Apply

WORD BANK

~~Prayer~~
~~Lord's~~
Father

Work with Words Fill in each blank with a word from the Word Bank.

1. 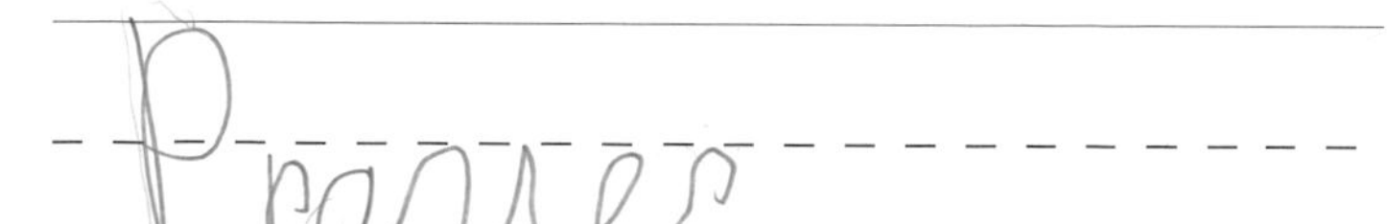 is talking and listening to God.

2. One name to call God when you pray is ______________.

3. Jesus taught his friends to pray the ______________ Prayer.

Activity Live Your Faith

Bless People Write the first names of people you love on small pieces of paper. Decorate a box and put the papers inside. Every day pick one paper. Then pray to ask God to bless that person.

La fe en familia

Lo que creemos

- La oración es la acción de hablar con Dios y escucharlo.
- Jesús enseñó a sus amigos a rezar la Oración del Señor.

LA SAGRADA ESCRITURA

Lee Juan 17, 1–25 para saber cómo oraba Jesús al Padre.

APRENDE en línea Visita **www.osvcurriculum.com** para encontrar recursos basados en el año litúrgico y lecturas semanales de la Sagrada Escritura.

Actividad

Vive tu fe

Escriban oraciones Elijan un momento del día para orar en familia. Recen siempre la Oración del Señor. Escriban otra oración que puedan rezar juntos. Éste es un ejemplo:

Querido ____________, (Completar con un nombre de Dios.)

Gracias por ____________.

Te pedimos que ____________.

Te lo pedimos en el nombre de Jesús, tu Hijo. Amén.

▲ Federico Guillermo Faber, 1814–1863

Siervos de la fe

Federico nació en Yorkshire (en Inglaterra). Luego de leer y de escuchar hablar sobre la Iglesia Católica, se hizo católico. Escribió libros de oraciones y dio a la Iglesia muchos himnos, al escribir letras para la música que otros habían compuesto. Su himno más famoso es "La fe de nuestros padres". Federico fundó una comunidad religiosa para hombres, y fue ordenado sacerdote católico.

Una oración en familia

Querido Dios, ayúdanos a cantar nuestras alabanzas a ti todos los días. Ayúdanos a amarte como Federico lo hizo. Amén.

 CIC *Consulta el Catecismo de la Iglesia Católica, números 2607 a 2612, para obtener más información sobre el contenido del capítulo.*

CHAPTER 9

Family Faith

Catholics Believe

- Prayer is talking and listening to God.
- Jesus taught his friends how to pray the Lord's Prayer.

SCRIPTURE

Read John 17:1–25 to see how Jesus prayed to the Father.

GO online www.osvcurriculum.com
For weekly Scripture readings and seasonal resources

Activity

Live Your Faith

Write Prayers Choose a time to pray each day as a family. Always pray the Lord's Prayer. Write another prayer that you can say together. Here is an example.

Dear __________, (Add name for God.)
Thank you for __________.
We ask you to __________.
We ask you in the name of Jesus, your Son.
Amen.

People of Faith

▲ Frederick William Faber, 1814–1863

Frederick was born in Yorkshire, England. After reading and listening to others about the Catholic Church, he became a Catholic. He wrote books about prayers. He gave the Church many hymns by writing the words for music that others wrote. His most famous hymn is "Faith of Our Fathers." Frederick began a religious community of men and was ordained as a Catholic priest.

Family Prayer

God our Father, help us sing our praises to you daily. Help us love you as Frederick did. Amen.

In Unit 3 your child is learning about JESUS CHRIST.

CCC *See Catechism of the Catholic Church 2607–2612 for further reading on chapter content.*

Repaso de la Unidad 3

Trabaja con palabras Encierra en un círculo la palabra o palabras que completen correctamente cada enunciado.

1. _______ es la acción de hablar con Dios y escucharlo.

   El juego **La oración**

2. _______ es una ley que Dios hizo para que la gente la obedeciera.

   Un mandamiento **Una parábola**

3. _______ es el don de creer en Dios.

   El amor **La fe**

4. El gran mandamiento habla de _______ a Dios.

   conocer **amar**

5. _______ te enseña a amar a Dios y a tu prójimo.

   Jesús **Jairo**

Unit 3 Review

Work with Words Circle the correct word to complete the sentence.

1. ______ is talking to and listening to God.

   Playing **Prayer**

2. A ______ is a law God made for people to obey.

   commandment **parable**

3. ______ is the gift of believing in God.

   Love **Faith**

4. The Great Commandment is about ______ God.

   knowing **loving**

5. ______ teaches you to love God and others.

   Jesus **Jairus**

UNIDAD 4

La Iglesia

Decir "sí" a Dios

¿Qué es el Reino de Dios?

El Espíritu Santo

¿Qué hace el Espíritu?

Personas santas

¿Quiénes son los santos?

¿Qué crees que aprenderás en esta unidad acerca de la Iglesia?

UNIT 4
The Church

Say "Yes" to God

What is God's kingdom?

The Holy Spirit

What does the Spirit do?

Holy People

Who are the saints?

What do you think you will learn in this unit about the Church?

Capítulo 10 Decir “sí” a Dios

Líder: Dios, ayúdanos a decir “sí” a tu invitación.
“Pues tu amor está a la altura de los cielos
y tu verdad se eleva hasta las nubes”.
Salmo 57, 11

Todos: Dios, ayúdanos a decir “sí” a tu invitación. Amén.

Actividad Comencemos

Decir “sí” Todos los días tenemos que tomar muchas decisiones.

Escribe una X al lado de las preguntas que puedas responder con un “sí”.

_______ ¿Te gustaría hornear un pastel?

_______ ¿Ayudarías a rastrillar las hojas?

_______ ¿Podrías repartir estas hojas, por favor?

_______ ¿Diste de comer al perro?

_______ ¿Limpiaste tu cuarto?

Chapter 10

Say "Yes" to God

Leader: God, help us say "yes" to your invitation.
"For your love towers to the heavens;
your faithfulness, to the skies."
Psalm 57:11

All: God help us say "yes" to your invitation. Amen.

Activity Let's Begin

Saying "Yes" We have many choices to make every day.

Mark an X beside the questions to which you can answer "yes."

X Would you like to bake a cake?

X Would you help rake the leaves?

X Would you please pass out the papers?

X Have you fed the dog?

X Did you clean your room?

Una promesa

¿Qué prometió Dios a Noé?

En el Antiguo Testamento está el relato de Noé. Noé dijo "sí" cuando Dios le pidió algo muy importante.

LA SAGRADA ESCRITURA **Génesis 6, 14–22; 7, 1–23**

Noé dice "sí"

Noé era un hombre bueno. Dios le pidió que construyera una embarcación muy grande llamada arca.

Dios dijo que llovería durante cuarenta días y cuarenta noches, y que habría una inundación. Dios quería que Noé estuviera a salvo.

Noé contestó: "Sí, la construiré"; y aunque no veía lluvia por ninguna parte, construyó el arca.

Dios pidió a Noé que entrara con su familia al arca, junto con una pareja de cada clase de animal. Noé, su familia y todos los animales dijeron: "¡Sí, lo haremos!", y entraron en el arca.

? ¿Qué pidió Dios a Noé que hiciera?

A Promise

What did God promise Noah?

The story of Noah is in the Old Testament. Noah said "yes" when God asked him a very big question.

Genesis 6:14–22, 7:1–23

Noah Says "Yes"

Noah was a good man. God told Noah to build an ark, or very large boat.

God said it was going to rain for forty days and forty nights. There would be a flood. God wanted Noah to be safe.

Noah said, "Yes, I will!" He built the ark even though he saw no rain anywhere.

God told Noah to take his family and two of each kind of animal into the ark. Noah, his family, and all the animals said, "Yes, we will!" and went into the ark.

What did God ask Noah to do?

El diluvio

Luego empezó a llover. Los arroyos y los ríos crecieron hasta que inundaron toda la tierra. Noé, su familia y todos los animales se mantuvieron secos en el arca.

Después de cuarenta días, la lluvia paró. Dios prometió que el agua nunca volvería a inundar la tierra por completo.

Dios dio a Noé y a su familia una señal de su promesa: puso un arco iris en el cielo.

Basado en Génesis 6, 14–22; 7, 1–23

¿Por qué estaban a salvo Noé, su familia y los animales?

Actividad Comparte tu fe

Piensa: Piensa en cómo se sintió Noé cuando vio el arco iris de Dios.

Comunica: Habla con un compañero sobre la promesa de Dios.

Actúa: En una página pinta un hermoso arco iris y rotúlalo “La promesa de Dios”. Haz con tus compañeros un tablero de anuncios y pongan allí sus dibujos del arco iris.

The Flood

Then the rains came. The streams and the rivers swelled until they flooded all the earth. Noah, his family, and all the animals stayed dry in the ark.

After forty days, the rain stopped. God promised that water would never flood the whole earth again.

God gave Noah and his family a sign of his promise. God put a rainbow in the sky.

Based on Genesis 6:14–22, 7:1–23

Why were Noah, his family, and the animals safe?

Activity Share Your Faith

Think: Think about how Noah felt when he saw God's rainbow.

Share: Talk with a partner about God's promise.

Act: Color a beautiful rainbow. Write "God's Promise" on the page. Work together to plan a class bulletin board. Use your rainbow pictures.

La invitación

¿Cómo dices "sí" a Dios?

Jesús contó un relato sobre cómo cuida Dios a toda la gente. En el relato, todos están invitados **Reino de Dios**.

LA SAGRADA ESCRITURA — Lucas 14, 16–23

Un hombre rico dio un gran banquete e invitó a muchas personas, pero ninguna asistió.

El hombre rico dijo a su sirviente: "Sal enseguida e invita a los pobres, los ciegos y los cojos".

El sirviente hizo lo que el hombre le mandó. Pronto la casa se llenó de gente feliz, pero aún quedaba lugar.

El hombre rico dijo: "Sal y trae gente de todas partes. Pídeles que vengan a mi banquete".

Basado en Lucas 14, 16–23

¿A quién se parece el hombre rico del relato?

The Invitation

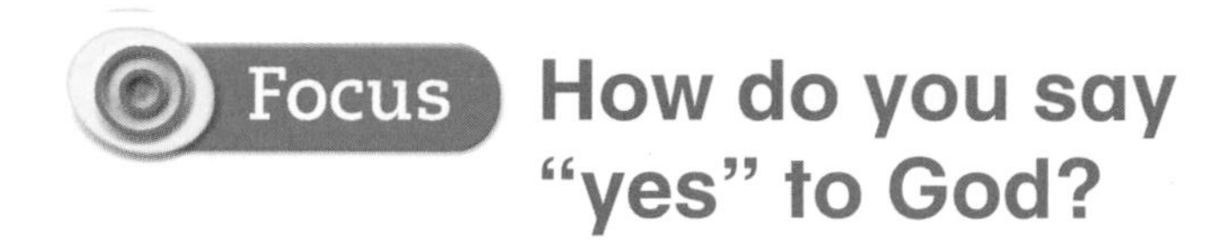

Focus **How do you say "yes" to God?**

Jesus told a story about God's care for all people. In the story, everyone is invited into the **kingdom of God**.

SCRIPTURE Luke 14:16–23

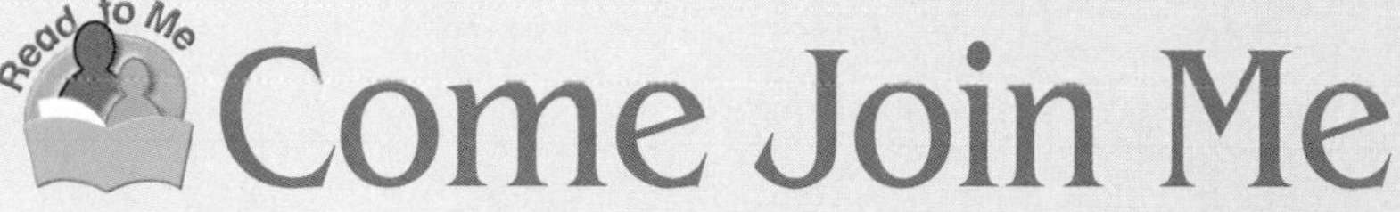

Come Join Me

A rich man gave a big party. He invited many people. No one came.

The rich man spoke to his servants. "Go out and invite those who are poor, blind, and lame."

The servants did as the man asked. Soon the house was filled with happy people. There still was room for more people.

The rich man said, "Go and find people anywhere you can. Ask them to come to my party."

Based on Luke 14:16–23

Who is the rich man in this story like?

La Iglesa

La **Iglesia** comunica el mensaje de Jesús acerca del Reino de Dios.

Cuando te bautizaron, te convertiste en miembro de la Iglesia. Tus padres dijeron "sí" a Dios en tu nombre. Ahora le puedes decir "sí" tú mismo.

Como miembro de la Iglesia, compartes el amor y ayudas a que el Reino de Dios crezca.

Puedes invitar a otras personas al Reino de Dios. Les puedes pedir que también digan "sí" a Dios.

Palabras de fe

El **Reino de Dios** es el mundo de amor, paz y justicia que Dios quiere.

La **Iglesia** es la comunidad de todas las personas bautizadas que creen en Dios y siguen a Jesús.

Actividad Practica tu fe

Dios te llama Dios te llama a entrar en su Reino. ¿Qué le contestas? Colorea los espacios marcados con una estrella para hallar la respuesta.

The Church

The **Church** shares Jesus' message about God's kingdom.

You became a member of the Church when you were baptized. Your parents said "yes" to God for you. Now you can say "yes" for yourself.

You share love as a member of the Church. You help the kingdom of God to grow.

You can invite others into God's kingdom. You can ask them to say "yes" to God, too.

Words of Faith

The **kingdom of God** is the world of love, peace, and justice that God wants.

The **Church** is the community of all baptized people who believe in God and follow Jesus.

Activity Connect Your Faith

God Calls You God calls you into his kingdom. What do you say? Color the spaces that have stars to find the answer.

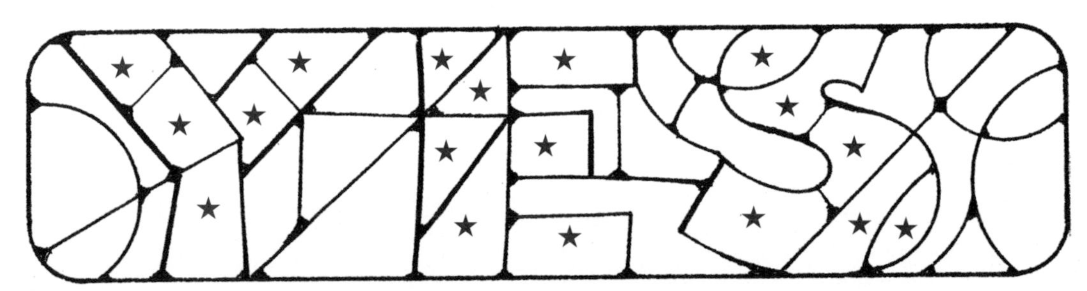

Una oración para decir "sí"

Reúnanse y comiencen con la señal de la cruz.

Líder: Señor, nos pides que seamos amables con nuestra familia.

Todos: **¡Te decimos "sí"!**

Líder: Nos pides que compartamos lo que tenemos.

Todos: **¡Te decimos "sí"!**

Líder: Quieres que invitemos a todos a jugar.

Todos: **¡Te decimos "sí"!**

Líder: Oremos.

Inclinen la cabeza mientras el líder reza.

Todos: **Amén.**

Canten juntos el estribillo.

Digo "sí", Señor.
Digo "sí", Señor,
en tiempos malos,
en tiempos buenos,
digo "sí", Señor,
a todo lo que hablas.

"Yes" Prayer

Gather and begin with the Sign of the Cross.

Leader: Lord, you ask us to be kind to our families.

All: We say "yes!"

Leader: You ask us to share what we have.

All: We say "yes!"

Leader: You want us to ask everyone to play.

All: We say "yes!"

Leader Let us pray.

Bow your heads as the leader prays.

All: Amen.

Sing together the refrain.

I say "Yes," my Lord.
I say "Yes," my Lord,
in all the good times,
through all the bad times,
I say "Yes," my Lord,
to ev'ry word you speak.

Repasar y aplicar

Trabaja con palabras Encierra en un círculo la palabra que complete correctamente cada enunciado.

1. Dios quiere que le digas "_______".

   no **sí**

2. Noé dijo "_______" a la invitación de Dios.

   sí **no**

3. Dios invita a _______ a entrar en su Reino.

   todos **algunos**

4. Ser _______ es una manera de decir "sí" a Dios.

   amable **injusto**

5. El relato del hombre rico fue contado por _______.

   Noé **Jesús**

Actividad Vive tu fe

Comparte el amor Elige algunas formas de decir "sí" a Dios. Pon una X delante de cada elección. En una hoja aparte, escribe otras dos formas en las que puedas decir sí" a Dios.

_______ Orar en familia.

_______ Cuidar de un hermano o una hermana.

_______ Llevar el periódico a un vecino.

_______ Cuidar a la mascota de un vecino.

Review and Apply

Work with Words Circle the correct word to complete each sentence.

1. God wants you to say "______" to him.

   no **yes**

2. Noah said "______" to God's invitation.

   yes **no**

3. God invites ______ people into his kingdom.

   all **some**

4. Being ______ is a way of saying "yes" to God.

   kind **unfair**

5. The story of the rich man was told by ______.

   Noah **Jesus**

Activity Live Your Faith

Share Love Choose ways to say "yes" to God. Mark an X in front of your choices. On another sheet of paper, write two other ways you can say "yes."

______ Pray with your family.

______ Take care of a brother or sister.

______ Take the newspaper to a neighbor.

______ Care for a neighbor's pet.

Lo que creemos

- Dios invita a todos a entrar en su Reino.
- La Iglesia es la comunidad de las personas que siguen a Jesús y que dicen "sí" al llamado de Dios.

Lee Mateo 4, 18–22 para saber de qué manera los primeros Apóstoles dijeron "sí" a Dios.

Visita **www.osvcurriculum.com** para encontrar recursos basados en el año litúrgico y lecturas semanales de la Sagrada Escritura.

Actividad

Vive tu fe

Digan "sí" Como familia, digan "sí" a Dios. Estas son algunas ideas de cómo hacerlo.

- Ofrézcanse para presentar las ofrendas en la Misa.
- Preséntense a una nueva familia en la Misa del domingo.
- Cuando vayan a un supermercado, restaurante o parque, saluden por su nombre a los empleados.

▲ Beata madre María Teresa de Jesús Gerhardinger, 1797–1879

Siervos de la fe

Carolina nació en Alemania y estudió para ser maestra. Su nombre religioso era madre María Teresa de Jesús Gerhardinger. Cuando terminó sus estudios, fundó una congregación de hermanas para dar clases a las niñas de Alemania. El nombre de la congregación era Escuela de las Hermanas de Notre Dame. Las hermanas fundaron jardines de niños y escuelas en Alemania y en Estados Unidos. Teresa es la patrona de la educación católica. La Iglesia celebra su día el 9 de mayo.

Una oración en familia

Querido Dios, ayúdanos a valorar a los trabajadores y a los maestros de nuestra parroquia. Te damos gracias por el amor que nos muestran. Amén.

 CIC *Consulta el Catecismo de la Iglesia Católica, números 541 a 546, para obtener más información sobre el contenido del capítulo.*

CHAPTER 10

Family Faith

Catholics Believe

- God invites everyone into his kingdom.
- The Church is people who follow Jesus and say "yes" to God's call.

SCRIPTURE

Read Matthew 4:18–22 to find out about ways the first Apostles say "yes" to God.

www.osvcurriculum.com
For weekly Scripture readings and seasonal resources

Activity

Live Your Faith

Say "Yes" As a family, say "yes" to God. Here are some ideas.

- Volunteer to present the gifts at Mass.
- Introduce yourselves to a new family at Sunday Mass.
- Greet workers by name at the supermarket, restaurants, or at a park.

▲ Blessed Mother Theresa of the Child Jesus 1797–1879

People of Faith

Caroline was born in Germany. During college she studied to be a teacher. Later she founded an order of nuns. They taught young girls in Germany. The new order of nuns was called the School Sisters of Notre Dame. Caroline's name as a sister was Mother Theresa of the Child Jesus. The sisters started kindergartens and schools in Germany and the United States. Theresa is a patron of Catholic education. The Church celebrates her feast day on May 9.

Family Prayer

Dear God, help us appreciate our parish workers and teachers. Thank you for the love they show. Amen.

Capítulo 11

El Espíritu Santo

Oremos

Líder: Dios, enséñame a seguir al Espíritu Santo.

"Que tu buen espíritu me guíe por un terreno plano".

Salmo 143, 10

Todos: Dios, enséñame a seguir al Espíritu Santo. Amén.

Actividad Comencemos

¿Quién puede ayudar? Los guardas de los parques guían a las personas que están de visita.

Un guía muestra cosas interesantes a los niños en el centro científico.

Los guías nos conducen y nos enseñan.

- ¿Qué otros guías conoces?

Chapter 11

The Holy Spirit

Let Us Pray

Leader: God, teach me to follow the Holy Spirit.

"May your kind Spirit guide me
on ground that is level."

Psalm 143:10

All: God, teach me to follow the Holy Spirit. Amen.

Activity Let's Begin

Who Can Help? A ranger guides people who visit a park.

A guide shows children interesting things at the science center.

Guides help lead us and teach us.

- Who are some other guides that you know?

Sé mi guía

¿Quién te mostrará el camino a Dios?

UN RELATO

El hipopótamo Bernardo

Al hipopótamo Bernardo la mamá lo regañó por no recoger los juguetes. Bernardo estaba muy triste, así que se fue a la selva, ¡y caminó tanto, que se perdió!

Se sentó y se puso a llorar. Lo único que quería era volver a casa y estar con sus padres. Un pajarito se posó en su hombro y le dijo: “Me llamo Diego, y te oí llorar. ¿Te puedo ayudar?”.

Bernardo se secó las lágrimas y le contó que se había perdido. Después le dijo: “Lo único que quiero es estar en casa con mis padres”.

Be My Guide

Who will show you the way to God?

A STORY

Brandon the Hippo

Brandon the hippo's mom just yelled at him for not picking up his toys. Brandon was very sad so he stomped off into the jungle. He stomped until he was so deep in the jungle that he was lost!

He sat down and began to cry. All he wanted to do was go home and be with his parents. A little bird swooped down and perched on his shoulder saying, "I'm Dylan, I heard you crying. Can I help you?"

Brandon dried his tears. He told Dylan he was lost. Then he said, "I just want to be home with my parents."

Diego mostró a Bernardo cómo llegar a su casa atravesando la selva. Cuando por fin llegaron, Bernardo dijo a sus padres que estaba arrepentido.

Dijo: "¡Si no fuera por mi guía, no habría llegado a casa!".

¿Quiénes son algunos guías confiables que te podrían ayudar si estuvieras perdido?

Un guía para ti

Bernardo necesitaba un guía para encontrar el camino a casa. Tú necesitas un guía para estar cerca de Dios Padre y de Jesús, el Hijo de Dios. Dios **Espíritu Santo** te guiará.

Palabras de fe

El **Espíritu Santo** es la tercera Persona de la Santísima Trinidad.

Actividad Comparte tu fe

Piensa: Piensa en cómo se habrá sentido Bernardo cuando vio a Diego.

Comunica: Habla sobre cómo fue Diego un guía y cómo el Espíritu Santo es un guía.

Actúa: Con tus compañeros, cuenta el relato de Bernardo y su familia. Decidan quién representará a cada personaje. Elijan a alguien para que sea un buen guía como Diego.

Dylan showed Brandon how to get home through the jungle. When they finally arrived, Brandon told his parents he was sorry.

Brandon said, "I wouldn't have made it home if it weren't for my guide!"

Who are some safe guides who could help you if you were lost?

A Guide for You

Brandon needed a guide to find his way home. You need a guide to stay close to God the Father and to Jesus, God the Son. God the **Holy Spirit** will guide you.

Words of Faith

The **Holy Spirit** is the third Person of the Holy Trinity.

Activity — Share Your Faith

Think: Think about how Brandon must have felt when he first saw Dylan.

Share: Talk about how Dylan was a guide and how the Holy Spirit is a guide.

Act: Retell the story of Brandon and his family. Decide who will play the characters. Choose someone to be a good guide like Dylan.

El guía de la Iglesia

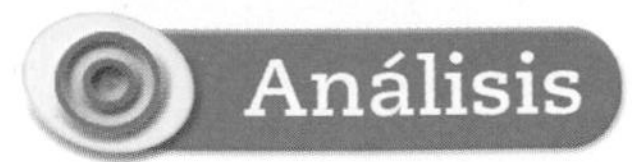

¿A quién ayuda el Espíritu Santo?

Jesús pronto volvería a Dios Padre. Prometió a sus seguidores que enviaría a alguien para ayudarlos. El guía que les envió es el Espíritu Santo.

LA SAGRADA ESCRITURA **Juan 14, 26**

Jesús promete enviar al Espíritu Santo

Jesús dijo: “El Espíritu Santo, el Intérprete que el Padre les va a enviar en mi Nombre, les enseñará todas las cosas y les recordará todo lo que yo les he dicho”.

Juan 14, 26

¿Qué hace Dios Espíritu Santo?

The Church's Guide

Focus **Whom does the Holy Spirit help?**

Jesus would soon be going back to God the Father. He promised his followers a helper. The guide who came to them is the Holy Spirit.

SCRIPTURE John 14:26

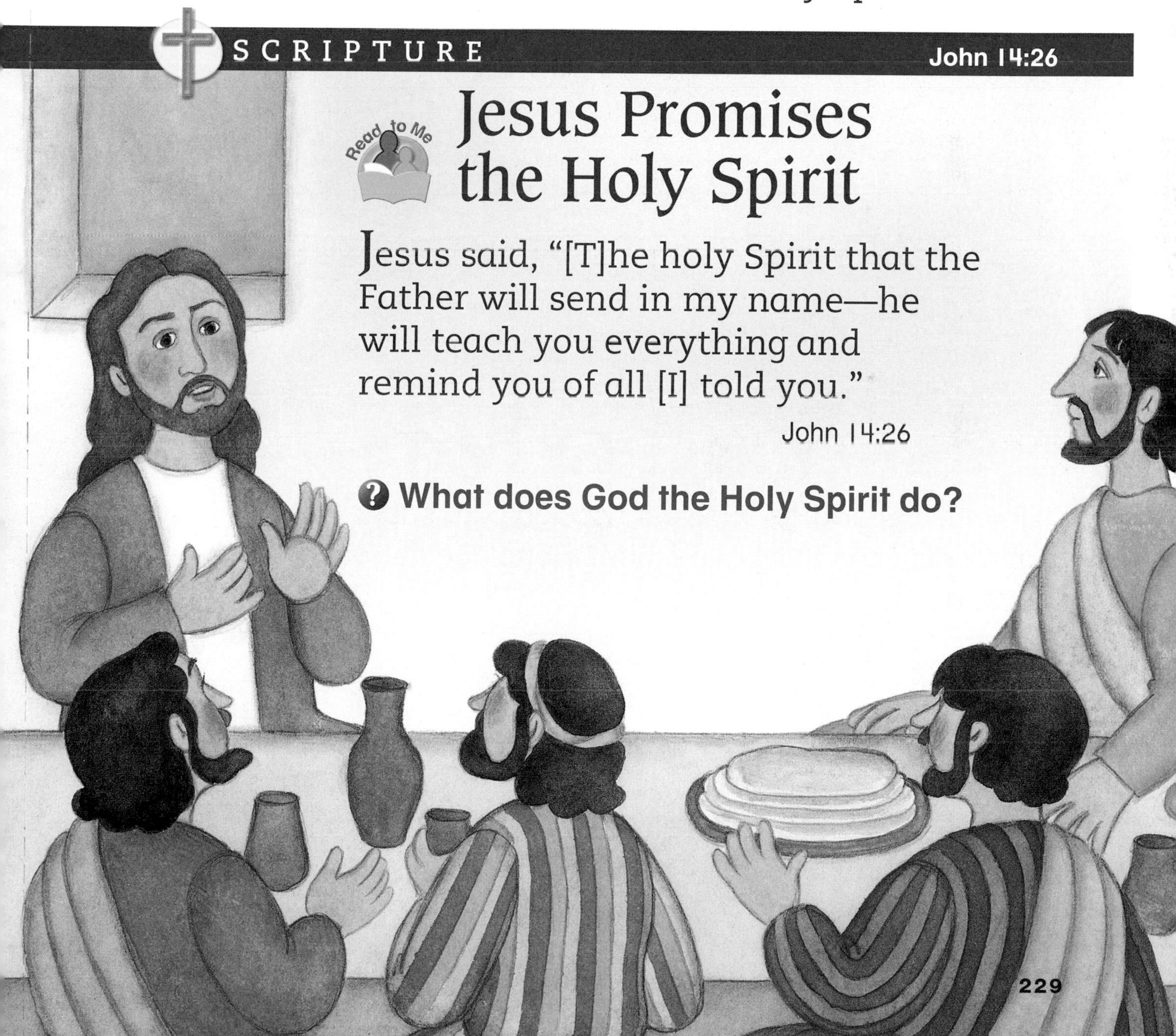

Read to Me

Jesus Promises the Holy Spirit

Jesus said, "[T]he holy Spirit that the Father will send in my name—he will teach you everything and remind you of all [I] told you."

John 14:26

? What does God the Holy Spirit do?

La obra del Espíritu Santo

El Espíritu Santo vive en toda la Iglesia. Estudia algunas de las formas en que el Espíritu Santo está presente en la Iglesia.

Actividad Practica tu fe

Descifra el código Usa este código para saber quién guía a la Iglesia. Escribe la letra que corresponde a cada número.

1	2	3	4	5	6	7	8	9	10
N	I	E	O	P	R	S	T	U	A

Dios ___ ___ ___ ___ ___ ___ ___ ___
3 7 5 2 6 2 8 9

___ ___ ___ ___ ___
7 10 1 8 4

The Work of the Holy Spirit

The Holy Spirit lives in the whole Church. Look at some of the ways the Holy Spirit is with the Church.

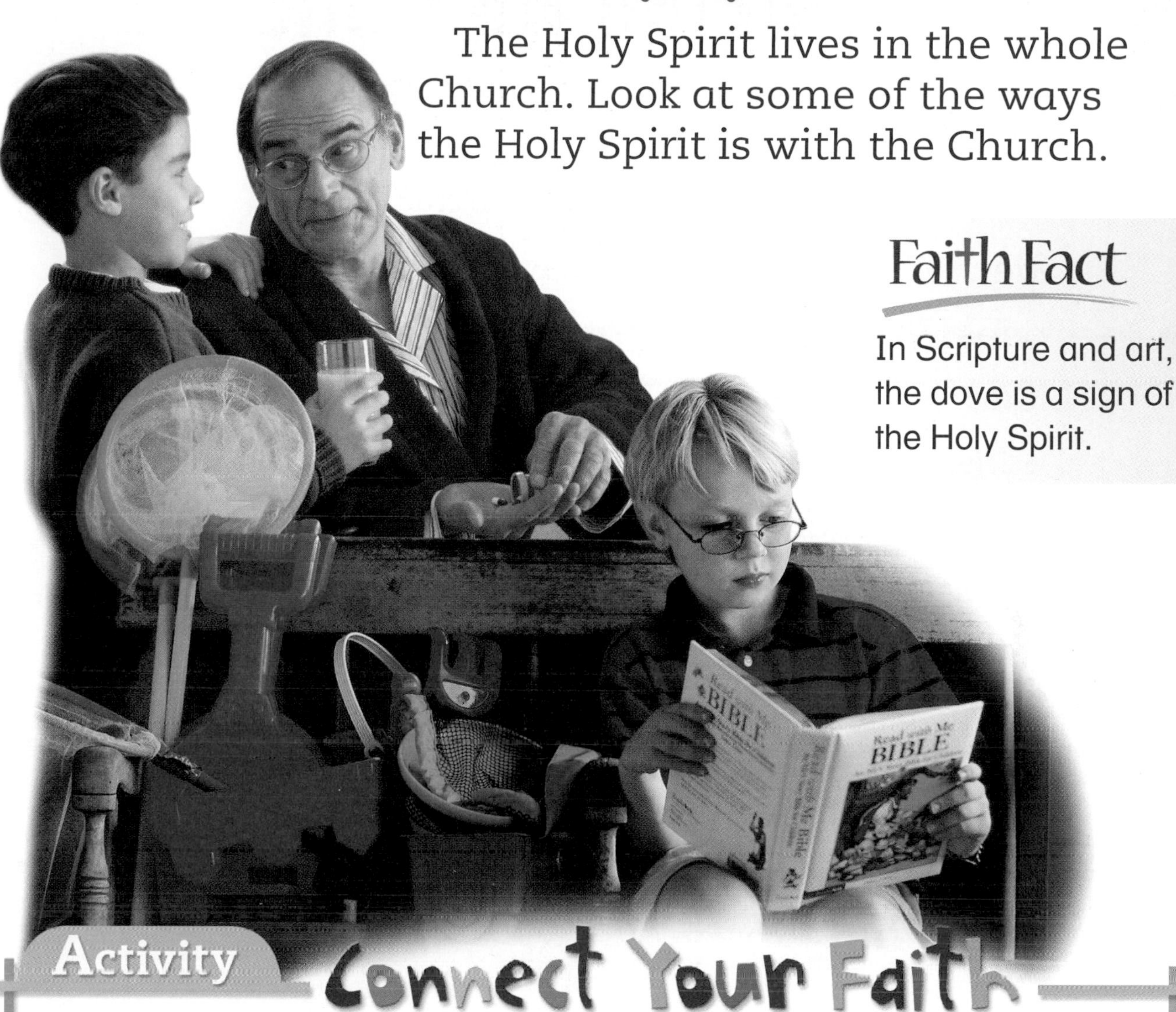

Faith Fact

In Scripture and art, the dove is a sign of the Holy Spirit.

Activity Connect Your Faith

Solve the Code Use this code to learn who guides the Church. Write the letter that matches each number.

1	2	3	4	5	6	7	8	9
H	I	L	O	P	R	S	T	Y

God the H o l y
1 4 3 9

S p i r i t
7 5 2 6 2 8

Una oración de petición

Reúnanse y comiencen con la señal de la cruz.

Líder: Cuando invite a otros niños a jugar,

Todos: **Ven, Espíritu Santo, guíame.**

Líder: Cuando tenga miedo de hacer lo correcto,

Todos: **Ven, Espíritu Santo, guíame.**

Líder: Cuando tenga que ayudar a los demás,

Todos: **Ven, Espíritu Santo, guíame.**

Canten juntos el estribillo.

Ámense uno al otro.
Ámense uno al otro,
como los he amado yo.

Asking Prayer

Gather and begin with the Sign of the Cross.

Leader: When I ask others to play,

All: Come, Holy Spirit, guide me.

Leader: When I am afraid to do what is right,

All: Come, Holy Spirit, guide me.

Leader: When I need to help others,

All: Come, Holy Spirit, guide me.

Sing together the refrain.

Love one another.
Love one another,
as I have loved you.

"Love One Another," Rob Glover © 2000, GIA Publications, Inc.

Repasar y aplicar

A **Trabaja con palabras** Encierra en un círculo la respuesta que complete correctamente cada enunciado.

1. Jesús prometió enviar ______.

   a la Iglesia   **al Espíritu Santo**

2. El Espíritu Santo guía ______.

   a la Iglesia   **a los animales**

3. El Espíritu Santo es la ______ Persona de la Santísima Trinidad.

   primer   **tercera**

B **Comprueba lo que aprendiste** Responde a la pregunta. ¿Cómo puede ayudarte el Espíritu Santo?

____

____

____

Actividad Vive tu fe

El amor de Dios Muestra de qué manera está en ti el amor de Dios. En un papel dibuja un corazón grande. Dentro del corazón, dibuja alguna cosa buena que harás por los demás.

Éstas son algunas ideas:

1. Abrazar a un familiar.
2. Ayudar sin que te lo pidan.
3. Orar en familia.

CHAPTER 11

Review and Apply

A Work with Words Circle the correct answer to complete each sentence.

1. Jesus promised to send the ______.

   Church **Holy Spirit**

2. The Holy Spirit guides the ______.

   Church **animals**

3. The Holy Spirit is the ______ Person of the Holy Trinity.

   first **third**

B Check Understanding Answer the question.

How can the Holy Spirit help you?

____

____

Activity Live Your Faith

God's Love Show how God's love is in you. Draw a large heart on a piece of paper. Inside the heart, draw a good thing you will do for others.

Here are some ideas.

1. Hugging a family member.
2. Helping without being asked.
3. Praying with your family.

La fe en familia

Lo que creemos

- Dios Espíritu Santo es la tercera Persona de la Santísima Trinidad.
- El Espíritu Santo llena de amor el corazón de las personas y guía a la Iglesia.

LA SAGRADA ESCRITURA

Lee acerca de la venida del Espíritu Santo en Hechos de los Apóstoles 2, 1–13.

APRENDE en línea Visita **www.osvcurriculum.com** para encontrar recursos basados en el año litúrgico y lecturas semanales de la Sagrada Escritura.

Actividad

Vive tu fe

Reúnanse en familia Conversen sobre alguien que haya sido un buen guía para ustedes. ¿Quién los ha ayudado a mostrar el amor de Dios a los demás? Es necesario que las personas se guíen unas a otras. Al final de la conversación, recen una oración corta al Espíritu Santo.

▲ San Pedro de San José Betancur, 1619–1669

Siervos de la fe

Pedro de San José Betancur nació en las islas Canarias. Pedro amaba tanto a Jesús, que hablaba de Él con toda la gente. Viajó a Guatemala, donde pasó el resto de su vida ayudando a las personas. Ayudaba especialmente a las que estaban enfermas y no tenían techo. Pedro fundó un hospital y una escuela. En el año 2002 se convirtió en la primera persona de Guatemala declarado santo. La Iglesia celebra su día el 25 de abril.

Una oración en familia

San Pedro, ruega por nosotros para que no tengamos temor de hacer lo que es justo y bueno. Amén.

 CIC Consulta el Catecismo de la Iglesia Católica, números 737 a 741, para obtener más información sobre el contenido del capítulo.

Family Faith

Catholics Believe

- God the Holy Spirit is the third Person of the Holy Trinity.
- The Holy Spirit fills people's hearts with love and guides the Church.

Read about the coming of the Holy Spirit in the Acts of the Apostles 2:1–13.

www.osvcurriculum.com
For weekly Scripture readings and seasonal resources

Activity

Live Your Faith

Gather as a Family Talk about someone who has been a good guide for you. Who has helped you to show God's love to others? People need to be good guides for each other. At the end of your conversation, pray a short prayer to the Holy Spirit.

People of Faith

▲ Saint Pedro de San Jose Betancur, 1619–1669

Pedro de San Jose (Peter of Saint Joseph) Betancur was born in the Canary Islands. Pedro loved Jesus so much that he told everyone about him. Pedro traveled to Guatemala, where he spent the rest of his life helping people. He especially helped those who were sick and homeless. Pedro opened a hospital and a school. In 2002 Pedro became the first Guatemalan named as a saint. The Church celebrates his feast day of April 25.

Family Prayer

Saint Pedro, pray for us that we may not be afraid to do what is right and good. Amen.

In Unit 4 your child is learning about the CHURCH.

CCC *See Catechism of the Catholic Church 737–741 for further reading on chapter content.*

Personas santas

Líder: Confiamos en ti siempre, Oh Señor.
"Feliz el hombre que cuenta con el Señor".
Salmo 40, 5

Todos: Confiamos en ti siempre, Oh Señor. Amén.

Actividad Comencemos

Amigos

Dondequiera que yo esté,
tú estás conmigo.
Tú para mí y yo para ti
un gran amigo.
Reímos y jugamos,
y todo el día cantamos.
Tú para mí y yo para ti
un gran amigo.

- ¿Cómo describirías a un amigo?

Chapter 12 Holy People

Let Us Pray

Leader: We trust in you always, O Lord.
"Happy those whose trust is the LORD."
Psalm 40:5

All: We trust in you always, O Lord. Amen.

Activity Let's Begin

Friends

Wherever I am, you are there.
You and I are quite a pair.

We talk and play,
We laugh all day.
You and I are quite a pair.

- How would you describe a friend?

Amigos de Dios

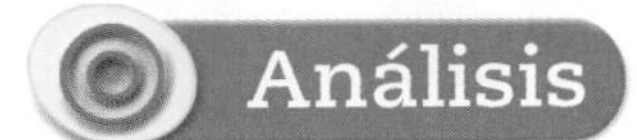

¿Cómo puede llegar una persona a ser santa?

Los **santos** son amigos de Dios. Los santos decían y hacían cosas buenas cuando vivían en la tierra. Mostraban su amor a Dios por sobre todas las cosas. Ahora viven con Dios para siempre.

Puedes aprender a ser amigo de Dios leyendo la Biblia.

LA SAGRADA ESCRITURA

"Amen y honren a los demás. Nunca dejen de hacer lo correcto. Sirvan al Señor. Tengan esperanza y sean alegres. Sean pacientes cuando las cosas no anden bien. Oren sin cesar. Cuiden de los necesitados. Tengan un corazón acogedor".

Basado en Romanos 12, 10–13

¿Qué cosas buenas te pide Jesús que hagas?

Friends of God

How do people become holy?

Saints are God's friends. Saints said and did good things when they lived on earth. They showed their love for God more than anything. Now they live with God forever.

You can learn from the Bible how to be God's friend.

SCRIPTURE

"Love and honor others. Never give up doing what is right. Serve the Lord. Let your hope make you happy. Be patient when things are not going well. Never stop praying. Take care of those who are in need. Have a welcoming heart."

Based on Romans 12:10–13

What good things does Jesus ask you to do?

Familia de los santos

Los santos son personas que se han **consagrado** a Dios y que están llenas del Espíritu Santo. Estás personas sirven a Dios con amor.

Los católicos veneran a muchos santos. ¡Tú formas parte de la familia de los santos! Tienes relación con los santos que vivieron antes y también con las personas que viven ahora y que se han consagrado a Dios.

Palabras de fe

Los **santos** son personas que llevaron una vida ejemplar y amaron a Dios.

Estar **consagrado** a Dios significa estar lleno del Espíritu Santo y servir a Dios con todo el corazón.

Actividad Comparte tu fe

Piensa: ¿A quién conoces que sirva a Dios?

Comunica: Habla con un compañero sobre esa persona. También habla de las formas en las que puedes servir a Dios.

Actúa: Escribe la letra que corresponda a cada número. Descubrirás una forma de servir a Dios.

1	2	3	4	5	6	7	8	9	10	11	12	13	14	15
A	B	C	D	E	F	G	H	I	J	L	M	N	O	S

S ___ ___ ___ ___ ___ ___ ___

15 5 1 12 1 2 11 5

Family of Saints

Saints are **holy** people. They are filled with the Holy Spirit. Holy people serve God with love.

Catholics celebrate many saints. You are part of the family of saints! You are connected to the saints who have lived before. You are also connected to holy people who live now.

Saints are people who lived a good life and loved God.

To be **holy** means to be filled with the Holy Spirit and to serve God with all your heart.

Activity Share Your Faith

Think: Who is someone who serves God?

Share: Tell a partner about this person. Talk about ways you can serve God.

Act: Write the letter that matches each number. You'll learn a way to serve God.

1	2	3	4	5	6	7	8	9	10	11	12	13	14	15
A	B	C	D	E	F	G	H	I	J	K	L	M	N	O

B ____ ____ ____ ____ ____ ____.

2 5 11 9 14 4

Toda clase de santos

Análisis ¿Cómo muestran su amor los santos?

Los relatos sobre los santos te enseñan cómo consagrarte a Dios. Los santos han amado a Dios y al prójimo.

María

Una madre María, la madre de Jesús, es la más importante de todos los santos. María es la Madre de Dios. Ella cuidó de Jesús.

Un cocinero San Benedicto era hijo de esclavos africanos. Usaba su talento como cocinero para servir a los demás.

San Benedicto

San Martín

Un soldado San Martín fue soldado. Compartió su abrigo con una persona que no tenía casa.

Un espíritu feliz A san Felipe le gustaba reír y también hacer reír a los demás. Escuchaba a todos con atención, y enseñaba a los jóvenes a orar y hacer cosas buenas.

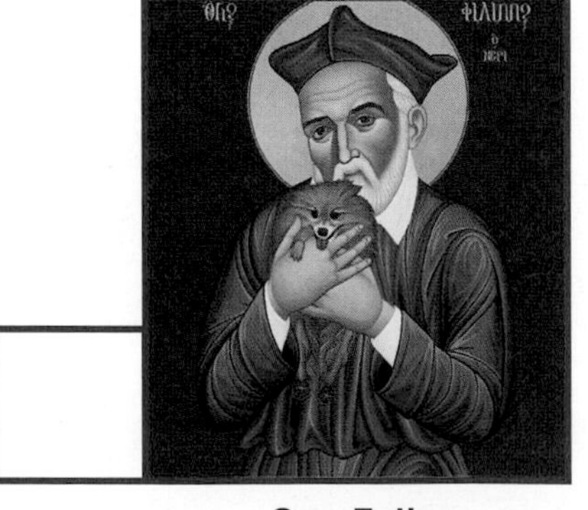
San Felipe

All Kinds of Saints

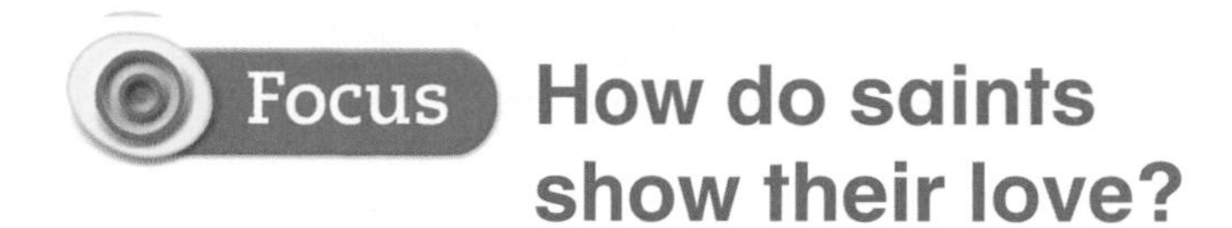

Focus How do saints show their love?

Stories about the saints help you learn how to be holy. Saints have loved God and others.

Mary

A Mother Mary, the mother of Jesus, is the greatest of the saints. Mary is the Mother of God. She took care of Jesus.

A Cook Saint Benedict was the son of African slaves. He used his talent for cooking to serve others.

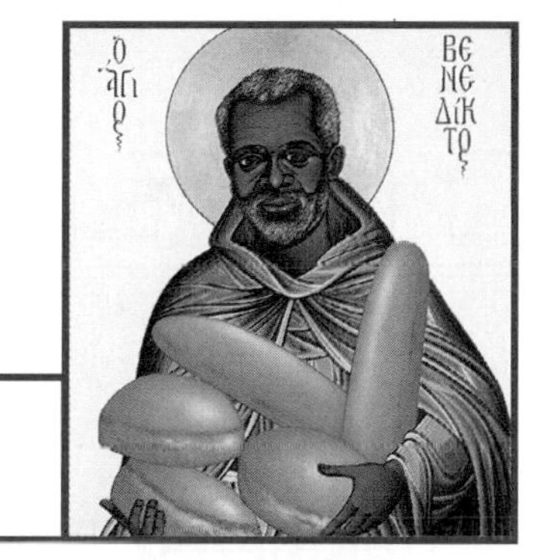

Saint Benedict

Saint Martin

A Soldier Saint Martin was a soldier. He shared his coat with a homeless person.

A Happy Spirit Saint Philip liked to laugh and make others laugh, too. He was a good listener. He showed young people how to pray and do good things.

Saint Philip

Una mujer joven La beata Kateri era una india mohawk. Hablaba a los niños indígenas sobre el maravilloso amor de Dios.

Beata Kateri

Santa Isabel Ana Seton

Una maestra Santa Isabel Ana Seton es una santa estadounidense. Fundó escuelas para niñas y enseñó acerca de Dios a muchas personas jóvenes.

¿A cuál de estas personas querrías parecerte?

¿Qué puedes hacer para consagrarte a Dios?

Actividad Practica tu fe

Relaciona Lee las siguientes descripciones. Relaciona cada descripción con una de las personas consagradas de estas páginas. Escribe el número en la casilla que está al lado de la imagen de la persona.

1. Usaba su talento como cocinero para servir a los demás.
2. Fundó escuelas y enseñó a los niños acerca de Dios.
3. Madre de Jesús.
4. Escuchaba a las personas y las hacía reír.
5. Compartió su abrigo.
6. Enseñó a los niños sobre el amor de Dios.

A Young Woman Blessed Kateri was a Mohawk Indian. She told Native American children about God's wonderful love.

Blessed Kateri

Saint Elizabeth Ann Seton

A Teacher Saint Elizabeth Ann Seton is an American saint. She opened schools for girls. She taught many young people about God.

Which of these people would you want to be like?

How can you be a holy person?

Activity Connect Your Faith

Matching Read the descriptions below. Match each description with a holy person on these pages. Write the number in the box next to the person's picture.

1. Used his talents to serve others as a cook
2. Opened schools and taught children about God
3. Mother of Jesus
4. Listened to people and made them laugh
5. Shared his coat
6. Told children about God's love

Una oración de santos

Reúnanse y comiencen con la señal de la cruz.

Líder: Santa María,
Todos: **ruega por nosotros.**
Líder: San Benedicto,
Todos: **ruega por nosotros.**
Líder: San Martín,
Todos: **ruega por nosotros.**
Líder: San Felipe,
Todos: **ruega por nosotros.**
Líder: Beata Kateri,
Todos: **ruega por nosotros.**
Líder: Santa Isabel Ana,
Todos: **ruega por nosotros.**

Canten juntos el estribillo.

Dichoso el que cumple
la voluntad del Señor.

Prayer of Saints

Gather and begin with the Sign of the Cross.

Leader: Holy Mary,

All: pray for us.

Leader: Saint Benedict,

All: pray for us.

Leader: Saint Martin,

All: pray for us.

Leader: Saint Philip,

All: pray for us.

Leader: Blessed Kateri,

All: pray for us.

Leader: Saint Elizabeth Ann,

All: pray for us.

Sing together the refrain.

Happy are they
who follow the law of
the Lord.

Repasar y aplicar

Comprueba lo que aprendiste Responde a las preguntas.

1. ¿Quiénes son los santos?

2. Nombra un santo. Menciona algo bueno que haya hecho.

Actividad Vive tu fe

Corazones acogedores Los corazones de los santos son acogedores. Estas son algunas formas de mostrar que tienes un corazón acogedor. Marca lo que harás.

_______ Saludar a la persona encargada de la clase de religión.

_______ Sonreír a la maestra cuando entras al salón.

_______ Decir adiós a tus compañeros cuando se van a casa.

_______ Elegir a un compañero distinto para realizar una actividad.

CHAPTER 12

Review and Apply

Check Understanding Answer the questions.

1. Who are the saints?

2. Name a saint. Tell a good thing the saint did.

Activity Live Your Faith

Welcoming Hearts Saints have welcoming hearts. Here are some ways you can have a welcoming heart. Check what you will do.

_______ Say hello to the person in charge of the religion classes.

_______ Smile at your teacher when you come into the room.

_______ Say good-bye to classmates when they leave to go home.

_______ Pick a different classmate to be your partner for an activity.

La fe en familia

Lo que creemos

- Los santos son amigos de Dios que pueden enseñarte a vivir correctamente.
- La Iglesia anima a las personas a vivir una vida santa como la de los santos.

LA SAGRADA ESCRITURA

Lee Hechos de los Apóstoles 5, 12–16 para saber más sobre los seguidores de Jesús.

APRENDE en línea Visita **www.osvcurriculum.com** para encontrar recursos basados en el año litúrgico y lecturas semanales de la Sagrada Escritura.

Actividad

Vive tu fe

Trabajen en familia para investigar acerca de la vida de un santo. Si pueden, usen una computadora e Internet. Elijan algo que ese santo haya hecho y que su familia también pueda hacer. Por ejemplo, san Francisco de Asís cuidaba de los animales. ¿Qué puede hacer su familia para cuidar de los animales?

▲ Santo Domingo, 1170–1221

Siervos de la fe

Las personas de la multitud que estaban atrás trataban de ver a **Domingo**. Estaban confundidas. Querían que él les enseñara a distinguir el bien del mal. La multitud guardó silencio mientras Domingo hablaba. Él sostuvo en alto la Biblia y dijo: “Las respuestas que buscan están en el Libro Sagrado”. Domingo iba de aldea en aldea enseñando a la gente a amar a Dios. La Iglesia Católica celebra el día de Santo Domingo el 8 de agosto.

Una oración en familia

Santo Domingo, ruega por nosotros para que sepamos escuchar a los que nos hablan acerca de Dios. Amén.

 CIC *Consulta el Catecismo de la Iglesia Católica, números 956 a 958, para obtener más información sobre el contenido del capítulo.*

CHAPTER 12

Family Faith

Catholics Believe

- Saints are friends of God who can show us how to live.
- People in the Church are called to live holy lives, as the saints did.

SCRIPTURE

Read the Acts of the Apostles 5:12–16 to find out more about Jesus' followers.

GO online **www.osvcurriculum.com**
For weekly Scripture readings and seasonal resources

Activity

Live Your Faith

Work together as a family to learn about one saint. Use a computer and the Internet, if you can. Choose one thing that saint did that your family can also do. For example, Saint Francis of Assisi cared for animals. What could your family do to care for animals?

People of Faith

▲ **Saint Dominic, 1170–1221**

People in the back of the crowd were trying to see **Dominic**. The people were confused. They wanted him to tell them right from wrong. The crowd hushed as Dominic spoke. He held his Bible high. Dominic said, "The answers you are looking for are in the Holy Book." Dominic went from village to village telling people how to love God. The Catholic Church celebrates Saint Dominic's feast day on August 8.

Family Prayer

Saint Dominic, pray for us that we may be good listeners when people tell us about God. Amen.

In Unit 4 your child is learning about the CHURCH.

CCC *See Catechism of the Catholic Church 956–958 for further reading on chapter content.*

Repaso de la Unidad 4

VOCABULARIO

santos

Espíritu Santo

Reino

A **Trabaja con palabras** Completa cada espacio en blanco con una palabra del vocabulario.

1. El ______________ de Dios es el mundo de amor, paz y justicia que Dios quiere.

2. El ______________ guía a la Iglesia.

3. Los ______________ son personas que llevaron una vida ejemplar y amaron a Dios.

B **Comprueba lo que aprendiste** Responde a las preguntas.

4. ¿Cómo puedes decir "sí" a Dios?

____

5. ¿Qué prometió Jesús a sus seguidores?

____

Unit 4 Review

A Work with Words Fill in each blank with a word from the Word Bank.

WORD BANK

Saints
Holy Spirit
Kingdom

1. The ______________ of God is the world of love, peace, and justice that God wants.

2. The ______________ guides the Church.

3. ______________ are people who lived a good life and loved God.

B Check Understanding Answer the questions.

4. How can you say "yes" to God?

____

____

5. What did Jesus promise his followers?

____

____

UNIDAD 5

Moralidad

Amar y servir

¿Qué hacen los seguidores de Jesús?

Tomar decisiones

¿Qué puede ayudarte a elegir?

Decir "lo siento"

¿De qué manera puedes obedecer a Dios?

¿Qué crees que aprenderás en esta unidad acerca de seguir a Jesús?

UNIT 5
Following Jesus

Chapter 13

Love and Serve
What do followers of Jesus do?

Chapter 14

Making Choices
What can help you choose?

Chapter 15

Say "I'm Sorry"
How can you obey God?

What do you think you will learn in this unit about following Jesus?

Capítulo 13 Amar y servir

Oremos

Líder: Oh Señor, enséñame cómo ayudar a los demás.
"Quiero cantar lo que es bueno y justo;
para ti, Señor, será mi salmo".

Samo 101, 1

Todos: Oh Señor, enséñame cómo ayudar a los demás. Amén.

Actividad Comencemos

A tu servicio

"Ayúdame a ponerme los zapatos"
Maulló Felipe como si fuera un gato.

"Yo te voy a ayudar, hermanito",
Rosa sonrió y se agachó un poquito.

"¡Deslizaré un zapato en tu pie
Y tiraré, tiraré, tiraré!

¡Ahora empuja, empuja hacia adentro
Mientras levanto, levanto lento!

¡Deslizo y tiro, empujas y levanto!
Estás listo, ¡eres un encanto!

¿Quieres ahora jugar?
¡Bien! Vamos a corretear".

- ¿Cuándo has sido un buen ayudante como Rosa? ¿Qué has hecho?

Chapter 13

Love and Serve

Let Us Pray

Leader: O Lord, teach me how to help others.
"I sing of love and justice;
to you, LORD, I sing praise."
Psalm 101:1

All: O Lord, teach me how to help others. Amen.

Activity Let's Begin

At Your Service

"Help me get my shoes on,"
Felipe whined quite loud.
"I'll help you, little brother,"
Rosa smiled and bowed.
"I'll slip a shoe on your foot
And I'll tug, tug, tug!
Now push, push, push
While I shove, shove, shove!
Slip and tug, push and shove!
Are you ready now to stand?
Would you like to play now?
Great! Let me hold your hand."

- When have you been a good helper like Rosa? What did you do?

Jesús, el Siervo

¿Qué significa servir a los demás?

Jesús enseñó a las personas a **servir**. A veces esto las sorprendía.

LA SAGRADA ESCRITURA Juan 13, 4–17

Léemelo

Jesús sirve

Una noche Jesús compartió una comida especial con sus seguidores. Durante la cena Jesús se levantó, se ató una toalla alrededor de la cintura y puso agua en un cuenco. Jesús, entonces, lavó y secó los pies de sus discípulos. Ellos se sorprendieron al ver a su maestro haciendo el trabajo de un sirviente.

"Si yo que soy su maestro les lavo los pies, —dijo Jesús— ustedes deben hacer lo mismo. Sirvan a los demás".

Basado en Juan 13, 4–17

¿Qué hizo Jesús para enseñar a sus seguidores?

Jesus the Servant

What does it mean to serve others?

Jesus taught people to **serve**. Sometimes this surprised them.

SCRIPTURE John 13:4–17

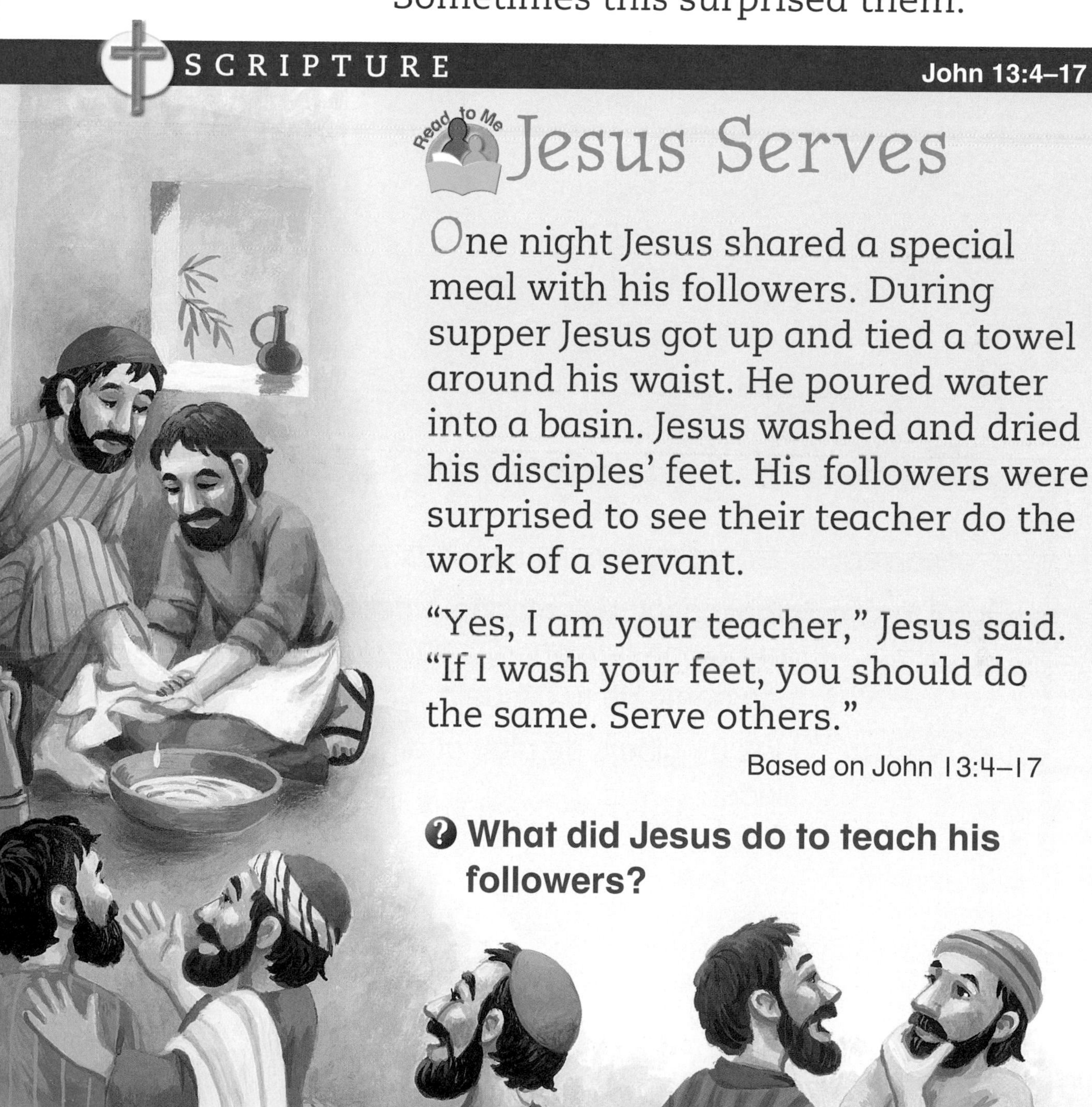

Jesus Serves

One night Jesus shared a special meal with his followers. During supper Jesus got up and tied a towel around his waist. He poured water into a basin. Jesus washed and dried his disciples' feet. His followers were surprised to see their teacher do the work of a servant.

"Yes, I am your teacher," Jesus said. "If I wash your feet, you should do the same. Serve others."

Based on John 13:4–17

What did Jesus do to teach his followers?

Sirve como Jesús

Jesús sirvió a sus seguidores y les enseñó a servir a los demás. Rosa ayudó a su hermano Felipe. Los buenos ayudantes sirven con amor en el corazón. Tú puedes servir a los demás de muchas manera.

Palabras de fe

Servir es ayudar amorosamente a los demás cuando lo necesitan.

¿Cómo puedes servir a los demás?

Actividad Comparte tu fe

Piensa: ¿Cómo ayudó Jesús a sus seguidores?

Comunica: Habla con un compañero acerca de las formas en que puedes ayudar, o servir, a la gente de tu escuela.

Actúa: Haz un dibujo de algo que puedes hacer.

Serve Like Jesus

Jesus served his followers. He taught them to serve others. Rosa helped her brother Felipe. Good helpers serve with love in their hearts. You can serve others in many ways.

Words of Faith

To **serve** is to help others in a loving way with what they need.

❓ **How can you serve others?**

Activity **Share Your Faith**

Think: How did Jesus help his followers?

Share: With a partner, talk about ways you can help, or serve, people in your school.

Act: Draw a picture of something you can do.

Sigue a Jesús

¿Cómo puedes ser un seguidor de Jesús?

Jesús usó más que palabras para enseñar cómo servir a los demás. Usó también acciones. Mostró a la gente cómo vivir correctamente.

Tú eres un **seguidor** de Jesús. Puedes seguir su ejemplo. Jesús ayudó a los demás. Tú también puedes ser un ayudante.

¿Cómo están ayudando a los demás las personas de las fotos?

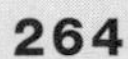

Follow Jesus

How can you be a follower of Jesus?

Jesus used more than words to teach how to serve others. He used actions, too. He showed people how to live.

You are a **follower** of Jesus. You can follow his example. Jesus helped others. You can be a helper, too.

How are the people in these pictures helping others?

La alegría de servir

Servir a los demás hacía feliz a Jesús. Jesús servía a los demás con un corazón alegre. Algunas personas sirven a otras pero no lo hacen con alegría. Sirven porque otros les dicen que lo hagan.

Dios quiere que ames y sirvas a los demás. Al hacerlo, sirves a Dios. Él quiere que seas lo mejor que puedas ser. Tus acciones pueden hacer felices a los demás. ¡Trata de ser un servidor alegre como Jesús!

Palabras de fe

Un **seguidor** de Jesús es alguien que cree en Jesús y que vive según sus enseñanzas.

Actividad Practica tu fe

Resuelve el acertijo Encierra en un círculo estas palabras, que están en la sopa de letras: **ayudar, sonreír, amar, servir, Dios.**

T	D	I	O	S	T	O	A	A
S	O	N	R	E	I	R	G	W
E	G	R	S	E	R	V	I	R
T	F	A	M	A	R	O	M	E
V	Q	F	A	Y	U	D	A	R

Happy to Serve

Serving others made Jesus happy. Jesus served others with a kind heart. Some people serve others but don't seem happy about it. They serve because others tell them to.

God wants you to love and serve others. By serving others, you serve God. He wants you to be the best you can be. Your actions can make others happy. Try to be a happy server like Jesus!

Words of Faith

A **follower** of Jesus is someone who believes in Jesus and lives by his teachings.

Activity Connect Your Faith

Do the Puzzle Circle these words in the word puzzle: **help, smile, love, serve, God.**

T	G	O	D	T	O	A	A
S	M	I	L	E	C	G	W
E	G	R	S	E	R	V	E
T	F	L	O	V	E	Y	O
V	A	F	K	H	E	L	P

Ora con la Palabra de Dios

Reúnanse y comiencen con la señal de la cruz.

Líder: El Señor esté con vosotros.

Todos: **Y con tu espíritu.**

Líder: Lectura del santo Evangelio según san Juan.

Lean Juan 15, 9–12.

Palabra del Señor.

Todos: **Gloria a ti, Señor Jesús.**

Canten juntos.

Es mi mandamiento,
que se amen uno al otro,
y alegría tendrán.

"Es mi mandamiento" Juan 15, 11–12

Pray with God's Word

Gather and begin with the Sign of the Cross.

Leader: The Lord be with you.

All: **And with your spirit.**

Leader: A reading from the holy Gospel according to John.

Read John 15:9–12.

The Gospel of the Lord.

All: **Praise to you, Lord Jesus Christ.**

Sing together.

This is my commandment,
that you love one another,
that your joy may be full.

"This Is My Commandment" John 15:11–12

Repasar y aplicar

Comprueba lo que aprendiste Dibuja un corazón junto al enunciado que habla de una persona que sirve.

______ **1.** Elena ve que su maestra lleva una gran pila de libros. Elena se aleja y la ignora.

______ **2.** Un niño se lastima en el patio de juegos y se pone a llorar. Tobías lo lleva con un maestro.

______ **3.** Alicia pone la mesa para la cena.

Encierra en un círculo la mejor respuesta.

4. Jesús lavó los pies de sus amigos como signo de ______.

servicio **juego**

5. Cuando sirves a los demás, muestras tu ______ por Dios.

esperanza **amor**

Actividad Vive tu fe

Sirve con amor ¿De qué manera puedes ser un mejor servidor? Escribe algunas maneras de servir en tu salón de clases y en tu familia. Haz dos listas. De cada una elige una manera de servir y ponla en práctica esta semana.

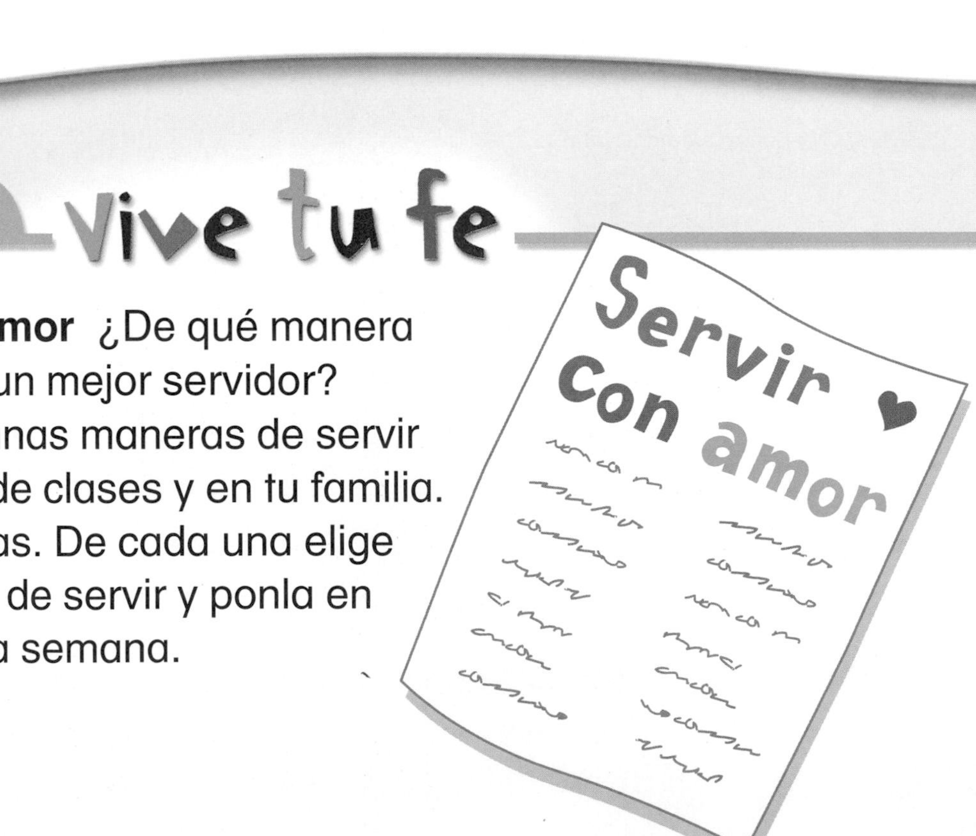

Review and Apply

Check Understanding Draw a heart next to each sentence that tells about a person who is serving.

_______ 1. Elena sees her teacher carrying a big stack of books. Elena walks away.

___♡___ 2. A child is hurt on the playground. Trevor leads the crying child to a teacher.

___♡___ 3. Alison sets the table for supper.

Circle the best answer.

4. Jesus washed his friends' feet as a sign of ______.

   (serving) playing

5. When you serve others, you show your ______ for God.

   hope (love)

Activity Live Your Faith

Serve with Love How can you become a better server? Name some ways to serve in your classroom. Name some ways to serve in your family. Choose one way from each list to serve others this week.

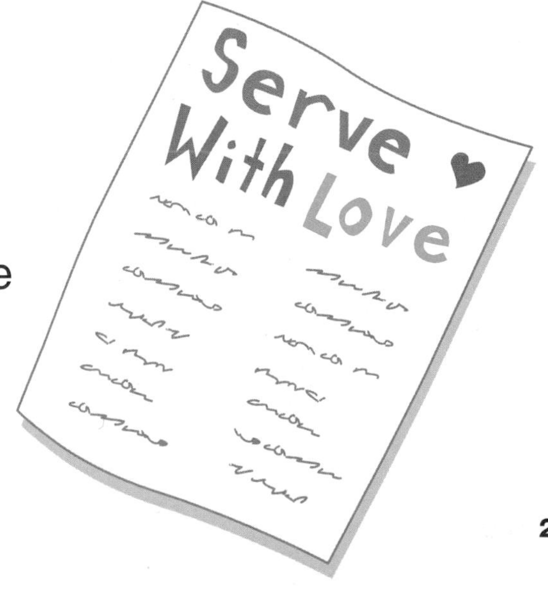

La fe en familia

Lo que creemos

- Las palabras y acciones de Jesús nos enseñan a amar y servir a Dios.
- Cuando sirves a los demás, estás sirviendo a Dios.

LA SAGRADA ESCRITURA

Lee Juan 13, 1–20 para aprender más acerca de cuando Jesús lavó los pies de sus seguidores.

APRENDE en línea Visita **www.osvcurriculum.com** para encontrar recursos basados en el año litúrgico y lecturas semanales de la Sagrada Escritura.

Actividad

Vive tu fe

Sirvan a un vecino Jesús mostró la importancia de servir a los demás. Su familia puede seguir el ejemplo de Jesús sirviendo a un vecino. Ofrézcanse para llevar comestibles, rastrillar hojas, limpiar las aceras, arrancar maleza o para hacer otras tareas. Todos los miembros de la familia pueden ayudar.

Siervos de la fe

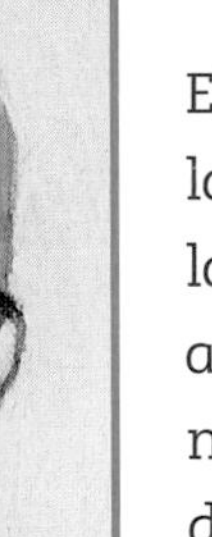

▲ **Venerable padre Solano Casey, 1870–1957**

El **padre Solano Casey** a menudo barría la acera. Un día mientras lo hacía levantó la vista y vio a una mujer que se acercaba arrastrando los pies. Estaba hambrienta y no tenía donde vivir. El padre Casey le dijo: “Entra, te prepararé una taza de café caliente. También tengo pan fresco”. Ya dentro la mujer le empezó a contar sus problemas. Él escuchaba con los oídos y el corazón. Hablando con él, la mujer se sintió mejor. El padre Casey pasó su vida sirviendo a los enfermos, a los pobres y a la gente con problemas.

Una oración en familia

Querido Dios, ayúdanos a saber cuándo alguien necesita de nuestra bondad. Ayúdanos también a servir con alegría. Amén.

 CIC Consulta el Catecismo de la Iglesia Católica, números 1822 a 1827, para obtener más información sobre el contenido del capítulo.

CHAPTER 13

Family Faith

Catholics Believe

- Jesus' words and actions teach us how to love and serve God.
- When you serve others, you are serving God.

SCRIPTURE

Read John: 13:1–20 to find out more about Jesus washing the feet of his followers.

www.osvcurriculum.com
For weekly Scripture readings and seasonal resources

Activity
Live Your Faith

Serve a Neighbor Jesus showed the importance of serving others. Your family can follow Jesus' example by serving a neighbor. Offer to carry groceries, rake leaves, clear sidewalks, pull weeds, or do other tasks. Everyone in your family can help.

People of Faith

Father Solanus Casey often swept the sidewalk clean. With cheery eyes he looked up as a woman shuffled near. She was hungry and homeless. Father Casey said, "Come inside. I will make you a hot cup of coffee. I've got some fresh bread, too." Inside the woman began to tell Father her troubles. He listened with his ears and his heart. The woman felt better just talking to Father. Father Casey spent his life serving sick, poor, and troubled people.

▲ **Venerable Father Solanus Casey, 1870–1957**

Family Prayer

Dear God, help us know when someone needs our kindness. Help us also to serve cheerfully. Amen.

In Unit 5 your child is learning about MORALITY.
CCC *See Catechism of the Catholic Church 1822–1827 for further reading on chapter content.*

Tomar decisiones

Oremos

Líder: Dios, por favor ayúdanos a tomar buenas decisiones.

"Dame inteligencia para guardar tu Ley, y que la observe de todo corazón".

Salmo 119, 34

Todos: Dios, por favor ayúdanos a tomar buenas decisiones. Amén.

Actividad Comencemos

Déjame ver

¿Cuál eliges?
¿Ayudar a tu hermana o tomar una siesta?

¿Cuál muestra amor?
Eso es lo que haré.

¿Cuál eliges?
¿Ser simpática o desagradable?

¿Cuál muestra amor?
Así voy a ser.

- ¿Qué persona conoces que sea amorosa?

Making Choices

Leader: God, please help us make good choices.
"Give me insight to observe your teaching,
to keep it with all my heart."
Psalm 119:34

All: God, please help us make good choices.
Amen.

Let's Begin

Let Me See

Which do you choose?
To help your sister or take a snooze?
Which is loving?
That's what I'll do.

Which do you choose?
To be friendly or mean?
Which is loving?
That's how I'll be.

- Who is a loving person in your life?

Decisiones

¿Qué quiere Dios que hagas?

Algunas decisiones son fáciles de tomar. Si tienes que elegir entre dos alimentos sanos, cualquier decisión será buena. Tomar esta clase de decision no va a dañarte a ti ni a nadie.

Otras decisiones son difíciles de tomar. Puede ser difícil elegir entre lo correcto y lo incorrecto. Las decisiones que tomes pueden ayudar o lastimar a los demás.

¿Qué decisiones toman los niños de tu edad?

Choices

What does God want you to do?

Some choices are easy to make. If you are choosing between two healthful foods, both choices are good ones. Making this kind of choice will not hurt you or anyone else.

Other choices are hard to make. It can be difficult to choose between right and wrong. The choices you make can help others or hurt them.

What are some choices children your age make?

Un regalo de Dios

Hace mucho tiempo, el pueblo de Dios olvidó cómo tomar buenas decisiones. Dios quería ayudarlo. Entregó los **Diez Mandamientos** a un hombre especial llamado Moisés.

Palabras de fe

Los **Diez Mandamientos** son la ley de Dios. Dicen cómo amar a Dios y a los demás.

LA SAGRADA ESCRITURA — **Deuteronomio 10, 12–13**

Los mandamientos de Dios

Moisés dijo: "¿Qué te pide el Señor, tu Dios? Dios quiere que lo respetes y lo sigas. El Señor, tu Dios, quiere que lo ames y lo sirvas con todo tu corazón y con toda tu alma. Dios quiere que obedezcas sus mandamientos y sus enseñanzas".

Basado en Deuteronomio 10, 12–13

¿Qué les dijo Moisés a las personas que hicieran?

Actividad — Comparte tu fe

Piensa: ¿Cuáles son algunas de las enseñanzas de Dios?

Comunica: En grupos, hablen acerca de lo que Dios pide a las personas que hagan.

Actúa: Esta semana lee con tu familia los Diez Mandamientos. Hablen sobre formas en que pueden cumplirlos.

A Gift from God

Long ago, God's people forgot how to make good choices. God wanted to help them. He gave the **Ten Commandments** to a special man named Moses.

The **Ten Commandments** are God's laws. They tell how to love God and others.

SCRIPTURE Deuteronomy 10:12–13

God's Commandments

Moses said, "What does the LORD, your God, ask of you? God wants you to respect him and to follow him. The LORD your God wants you to love and serve him with all your heart and all your soul. God wants you to obey his commandments and teachings."

Based on Deuteronomy 10:12–13

What did Moses tell the people to do?

Activity Share Your Faith

Think: What are some of God's teachings?

Share: In groups, talk about what God asks people to do.

Act: This week read the Ten Commandments with your family. Talk about ways you can follow them.

Eres libre

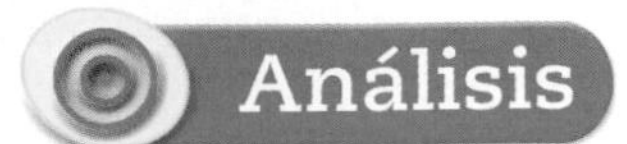

¿Cómo te afectan tus decisiones y cómo afectan a los demás?

Dios te creó para que seas libre. Puedes elegir obedecerlo. Cuando eliges lo que es correcto, te acercas más a Dios.

Puedes también tomar malas decisiones. Cuando tomas malas decisiones, te empiezas a alejar de Dios.

Moisés ayudó a las personas a entender las leyes de Dios. Los Diez Mandamientos te pueden ayudar a tomar decisiones amorosas.

Pasos para tomar buenas decisiones
1. Piensa si tu decisión muestra amor por Dios y por los demás.
2. Pregúntate y pregunta a los demás si tu decisión sigue los Diez Mandamientos y lo que Jesús haría.
3. Ora al Espíritu Santo para que te guíe.

You Are Free

Focus **How do your choices affect you and others?**

God created you to be free. You can choose to obey God. When you choose what is right, you grow closer to God.

You can also make bad choices. When you make bad choices, you begin to turn away from God.

Moses helped the people understand God's laws. The Ten Commandments can help you make loving choices.

Steps to Good Choices
1. Think about whether your choice shows love for God and others.
2. Ask yourself and others if your choice follows the Ten Commandments and things Jesus would do.
3. Pray to the Holy Spirit to guide you.

Consecuencias

Todas las decisiones tienen consecuencias, o resultados. Las decisiones incorrectas tienen consecuencias que pueden lastimarte o lastimar a los demás. Las decisiones correctas te ayudan a mostrar amor y respeto por ti mismo, por los demás y por Dios.

Actividad Practica tu fe

¿Qué debo hacer? Dibújate tomando una decisión en la escuela. Luego habla acerca de tu dibujo con un compañero.

Consequences

All choices have consequences, or results. Wrong choices have consequences that can hurt you or others. Right choices help you show love and respect for yourself, others, and God.

Activity

Connect Your Faith

What Should I Do? Draw yourself making a choice at school. Then talk about it with a partner.

Una oración de petición

Reúnanse y comiencen con la señal de la cruz.

Líder: Bendito sea el nombre del señor.

Todos: Ahora y por siempre.

Líder: Señor, te pedimos para que nos ayudes a tomar decisiones correctas.
Para que nos ayudes a entender tus mandamientos.

Todos: Señor, escucha nuestra súplica.

Líder: Por las personas que nos enseñan con su buen ejemplo.

Todos: Señor, escucha nuestra súplica.

Líder: Por las ocasiones en que lastimamos a los demás y necesitamos perdón.

Todos: Señor, escucha nuestra súplica.

Canten juntos.

Descúbrenos, Señor,
tus caminos.

Asking Prayer

Let Us Pray

Gather and begin with the Sign of the Cross.

Leader: Blessed be the name of the Lord.

All: **Now and forever.**

Leader: Lord, we pray to you for help in making the right choices.
For help in understanding your laws.

All: **Lord, hear our prayer.**

Leader: For people who show us by their good example.

All: **Lord, hear our prayer.**

Leader: For the times we have hurt others and need forgiveness.

All: **Lord, hear our prayer.**

Sing together.

Teach me your ways,
O Lord.

"Psalm 25: Teach Me Your Ways,"
Lectionary for Mass

Repasar y aplicar

Trabaja con palabras Encierra en un círculo la palabra o palabras que completen correctamente cada enunciado.

1. Los Diez Mandamientos son la ______ de Dios.

   ley **historia**

2. Dios dio los Diez Mandamientos a ______.

   Jesús **Moisés**

3. Muestro amor por Dios cuando elijo lo que es ______.

   fácil **correcto**

4. Una decisión incorrecta puede ______ a alguien.

   lastimar **ayudar**

5. ______ decisiones tienen consecuencias.

   Algunas **Todas las**

Actividad Vive tu fe

A la manera de Dios Haz un librito llamado "Vivir como Dios quiere". Dibuja maneras de mostrar tu amor por Dios y por los demás. Escribe una oración aquí, luego agrégala a tu libro.

____

____

CHAPTER 14

Review and Apply

Work with Words Circle the correct word to complete each sentence.

1. The Ten Commandments are God's ______.

   laws   stories

2. God gave ______ the Ten Commandments.

   Jesus   Moses

3. I show love for God when I choose what is ______.

   easy   right

4. A wrong choice can ______ someone.

   hurt   help

5. ______ choices have consequences.

   Some   All

Activity Live Your Faith

God's Way Make a booklet called "God's Ways for Living." Draw ways to love God and others. Write a prayer here, then add it to your book.

____

____

____

La fe en familia

Lo que creemos

- Los Diez Mandamientos son la ley de Dios. Ayudan a las personas a amar a Dios y a los demás.
- Dios da a las personas la libertad de elegir.

Lee Isaías 1, 16–19 para que recuerdes tomar buenas decisiones.

Visita **www.osvcurriculum.com** para encontrar recursos basados en el año litúrgico y lecturas semanales de la Sagrada Escritura.

Actividad

Vive tu fe

Hagan reglas para la familia Hablen sobre algunas reglas de familia que los ayuden a tomar buenas decisiones. Las reglas como no pegar, no empujar, decir "por favor" y decir "gracias", ayudan a las familias. Piensen en otras reglas que podrían ayudar a su familia. Escríbanlas en una hoja y pónganlas en un lugar visible para que recuerden que deben seguirlas.

Siervos de la fe

"¿Puedo ir a China? —preguntó la **madre Francisca Cabrini**—. Lo que más deseo es enseñar a los chinos acerca de Dios". El papa León sacudió la cabeza. "No, ve a Estados Unidos. Allí se han mudado muchas personas. Para ellas, vivir en un nuevo país no es fácil". Así que la madre Cabrini dejó Italia y fue a Estados Unidos, donde fundó escuelas, orfanatos y hospitales. La vida mejoró para aquellos que recibieron ayuda de la madre Cabrini. Su día se celebra el 13 de noviembre.

▲ Santa Francisca Cabrini, 1850—1917

Una oración en familia

Santa Francisca Cabrini, ruega por nosotros y enséñanos a cuidar de todos. Amén.

 CIC Consulta el Catecismo de la Iglesia Católica, números 2056 a 2060, para obtener más información sobre el contenido del capítulo.

CHAPTER 14

Family Faith

Catholics Believe

- The Ten Commandments are God's laws to help people love God and others.
- God gives people the freedom to choose.

Read Isaiah 1:16–19 to remember to make good choices.

www.osvcurriculum.com
For weekly Scripture readings and seasonal resources

Activity

Live Your Faith

Make Family Rules Talk about some family rules that lead to good choices. Rules like not hitting or pushing and saying "please" and "thank you" help families. Think of some rules that would help your family. Print the rules on a sheet of paper. Display the paper as a reminder to follow the rules.

People of Faith

▲ **Saint Frances Cabrini, 1850–1917**

"May I go to China?" asked **Mother Frances Cabrini**. "More than anything I want to teach the Chinese people about God." Pope Leo shook his head. "No, go to the United States. Many people have moved there. It is not easy for them to live in a new country." So Mother Cabrini left Italy and went to the United States where she built schools, orphanages, and hospitals. Life became better for those whom Mother Cabrini helped. Her feast day is November 13.

Family Prayer

Saint Frances Cabrini, pray for us so that we may learn how to care for everyone. Amen.

In Unit 5 your child is learning about MORALITY.

CCC *See Catechism of the Catholic Church 2056–2060 for further reading on chapter content.*

Capítulo 15 Decir "lo siento"

Líder: Gracias por tu perdón, oh Dios.
"Crea en mí, oh Dios, un corazón puro,
renueva en mi interior un firme espíritu".
Salmo 51, 12

Todos: Gracias por tu perdón, oh Dios. Amén.

Perdón A veces necesitas pedir perdón. Es posible que hayas herido los sentimientos de un amigo o no hayas escuchado a tus padres.

- ¿De qué manera muestras que estás arrepentido? ¿Cómo sabes que te han perdonado?

Chapter 15

Say "I'm Sorry"

Leader: Thank you for your forgiveness, O God.
"A clean heart create for me, God;
renew in me a steadfast spirit."

Psalm 51:12

All: Thank you for your forgiveness, O God. Amen.

Activity Let's Begin

Forgiveness Sometimes you need to say you are sorry. You might hurt a friend's feelings or not listen to your parents.

- How do you show you are sorry? How do you know you are forgiven?

Obedecer a Dios

Análisis **¿Cómo ayudas a que tu amistad con Dios crezca?**

A veces, cuando tomas malas decisiones, desobedeces a Dios. Cuando desobedeces a Dios, **pecas**.

Cuando pecas, dañas tu amistad con Dios. Te dañas también a ti mismo y a los demás.

Dios quiere que lo obedezcas. Quiere que lo ames y que ames a los demás con todo tu corazón. Cuando lo haces, tu amistad con Dios se fortalece.

¿Cuándo puede ser difícil obedecer a Dios?

¿Cómo puedes tomar decisiones correctas?

Obey God

Focus **How do you help your friendship with God grow?**

Sometimes when you make bad choices, you disobey God. When you disobey God, you **sin**.

When you sin, it hurts your friendship with God. You also hurt yourself and others.

God wants you to obey him. He wants you to love him and others with your whole heart. When you do this, your friendship with God grows stronger.

When may it be hard to obey God?

How can you make the right choices?

Mostrar arrepentimiento

Jesús contó un relato sobre la manera en que Dios quiere que actúes cuando estás arrepentido.

Pecar es desobedecer a Dios y hacer lo que no es correcto.

LA SAGRADA ESCRITURA Lucas 18, 9–13

Léemelo

Los dos hombres que oraban

Dos hombres fueron al templo a orar. El primero habló acerca de la maldad de los demás y de lo maravilloso que él era. El segundo había estafado a mucha gente. Estaba muy arrepentido de lo que había hecho. Le pidió a Dios que lo perdonara.

Cuando terminó este relato, Jesús dijo: “Fue la oración del segundo hombre la que agradó a Dios”.

Basado en Lucas 18, 9–13

¿Cuándo puedes ser como el segundo hombre del relato?

Actividad Comparte tu fe

Piensa: Piensa en un problema que podría presentarse entre amigos.

Comunica: Habla con tu grupo sobre algunos problemas que los amigos podrían tener.

Actúa: Elige uno de los problemas y representa una manera de resolverlo.

Show Sorrow

Jesus told a story about how God wants you to act when you are sorry.

To **sin** is to choose to disobey God and do wrong.

SCRIPTURE Luke 18:9–13

Two Men Who Prayed

Two people went to the temple to pray. The first man talked about how bad others were and how great he was. The second man had cheated many people. He was very sorry for what he had done. He asked God to forgive him.

When Jesus finished this story, he said, "It was the second man's prayer that pleased God."

Based on Luke 18:9–13

When can you be like the second man in the story?

Activity **Share Your Faith**

Think: Think about a problem that friends might have with each other.

Share: Talk with your group about some problems that friends might have.

Act: Choose one problem and act out a way to solve it.

Pedir perdón

Análisis **¿De qué manera recibes el perdón de Dios?**

Jesús dijo que Dios perdona a los pecadores.

Dios quiere que tú también perdones. Dios quiere que todos sean amigos.

Cuando la gente perdona, muestra amor por Dios y por los demás. Cuando le pides a alguien que te perdone, esperas que esa persona te conteste "¡sí!".

¿Cómo sabe Dios si estás arrepentido de portarte mal?

Ask for Forgiveness

How do you receive God's forgiveness?

Jesus said that God forgives sinners.

God wants you to **forgive**, too. God wants all people to be friends.

When people forgive, they show love for God and others. When you ask someone to forgive you, you hope the person will say "Yes!"

How does God know if you are sorry for doing wrong?

Mejorar las cosas

Dios quiere que estés cerca de Él. Cuando pecas, puedes decir: "Lo siento. Por favor, perdóname. Trataré de tomar mejores decisiones".

Dios siempre dirá: "¡Te perdono!". Dios está siempre dispuesto a perdonarte. El amor que Dios siente por ti nunca termina.

Palabras de fe

Perdonar es dejar a un lado lo que alguien te haya hecho y no guardar resentimiento contra esa persona.

Actividad Practica tu fe

Dibuja un final Trabaja con un compañero. Imagina que has herido los sentimientos de alguien. Dibuja algo que puedas hacer para mejorar las cosas.

Make Things Better

God wants you to be close to him. When you sin, you can say "I'm sorry. Please forgive me. I will try to make better choices."

God will always say "I forgive you!" God is always ready to forgive you. God's love for you never ends.

Words of Faith

To **forgive** is to agree to put aside what someone has done and not hold it against him or her.

Activity Connect Your Faith

Draw an Ending Work with a partner. Imagine that you have hurt someone's feelings. Draw a way to make things better.

Una oración para pedir ayuda

Reúnanse y comiencen con la señal de la cruz.

Líder: Oremos.

Inclinen la cabeza mientras el líder reza.

Todos: **Amén.**

Líder: Jesús, ayúdanos a
perdonar a los demás.

Todos: **Ayúdanos, Jesús.**

Líder: Jesús, ayúdanos
a seguir tu ejemplo.

Todos: **Ayúdanos, Jesús. Amén.**

Canten juntos.

Guía mis pasos en esta carrera.
Guía mis pasos en esta carrera.
Guía mis pasos en esta carrera,
¡Porque no quiero en vano correr!

"Guide My Feet". Canción tradicional afroamericana.

Prayer for Help

Gather and begin with the Sign of the Cross.

Leader: Let us pray.

Bow your heads as the leader prays.

All: Amen.

Leader: Jesus, help us forgive others.

All: Help us, Jesus.

Leader: Jesus, help us to follow your example.

All: Help us, Jesus. Amen.

Sing together.

Guide my feet while I run this race.
Guide my feet while I run this race.
Guide my feet while I run this race,
For I don't want to run this race in vain!

"Guide My Feet" African-American Traditional

Repasar y aplicar

Trabaja con palabras Escribe la letra correspondiente a la palabra del vocabulario que complete cada enunciado.

VOCABULARIO

a. amas
b. pecar
c. siempre
d. amistad
e. lo siento

1. La acción de desobedecer a Dios se llama ______ .

2. Cuando pecas, dañas tu ______ con Dios.

3. Puedes volver a empezar con Dios diciendo "______".

4. Dios te da ______ otra oportunidad para cambiar.

5. Cuando ______ a Dios, muestras tu amor.

Actividad Vive tu fe

Pulgares hacia arriba Jueguen a "Pulgares hacia arriba, pulgares hacia abajo". En este juego, alguien habla acerca de una situación en que se necesita perdonar. Otra persona representa una forma de mejorar las cosas. Si tus compañeros están de acuerdo, mostrarán los "pulgares hacia arriba". Si no lo están, mostrarán los "pulgares hacia abajo".

CHAPTER 15

Review and Apply

WORD BANK

a. love
b. sin
c. always
d. friendship
e. sorry

Work with Words Write the letter of a word from the Word Bank to complete each sentence.

1. Disobeying God's law is called __b__.

2. When you sin, you hurt your __d__ with God.

3. You can start over with God by saying "I'm __e__."

4. God __c__ gives you another chance to change.

5. When you __a__ God, you show your love.

Activity Live Your Faith

Thumbs Up Play a game called "Thumbs Up, Thumbs Down." Someone tells about a time when forgiveness is needed. Another person calls out a way to make things better. If your classmates agree, they will show "thumbs up." If they do not agree, they will show "thumbs down."

CAPÍTULO 15

La fe en familia

Lo que creemos

- Dios siempre perdona a los que quieren ser mejores y se arrepienten sinceramente.
- Dios pide que nos perdonemos y que perdonemos a los demás.

LA SAGRADA ESCRITURA

Lee Lucas 19, 1–10 para aprender acerca de una ocasión en la que Jesús perdonó a alguien.

Visita **www.osvcurriculum.com** para encontrar recursos basados en el año litúrgico y lecturas semanales de la Sagrada Escritura.

Actividad

Vive tu fe

Jueguen al juego del centavo Habla con tu familia acerca de las palabras y acciones que pueden usar para mostrar perdón. Van a necesitar centavos y un recipiente. Coloquen un centavo en el recipiente cada vez que alguien pida u ofrezca perdón. Cuando el recipiente esté lleno, usen el dinero para dar una ofrenda a su parroquia.

▲ Santa Teresa de Jesús de los Andes, 1900–1920

Siervos de la fe

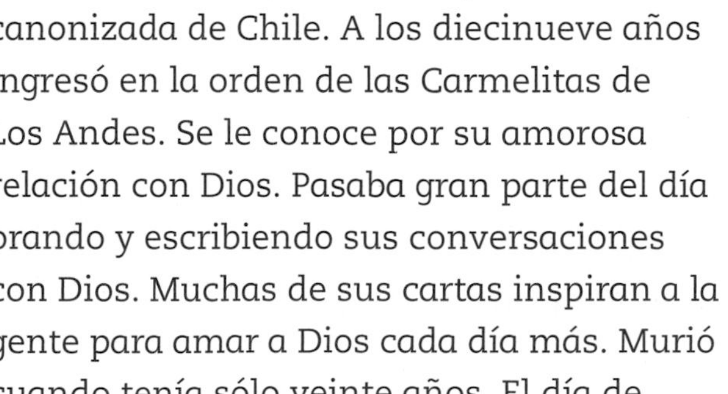

Santa Teresa de Jesús es la primera santa canonizada de Chile. A los diecinueve años ingresó en la orden de las Carmelitas de Los Andes. Se le conoce por su amorosa relación con Dios. Pasaba gran parte del día orando y escribiendo sus conversaciones con Dios. Muchas de sus cartas inspiran a la gente para amar a Dios cada día más. Murió cuando tenía sólo veinte años. El día de Santa Teresa se celebra el 13 de julio. Es la patrona de los enfermos.

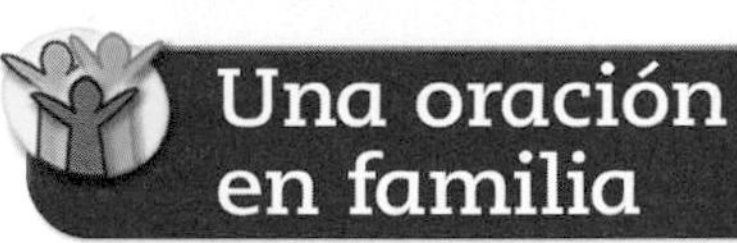

Una oración en familia

Santa Teresa, ruega por nosotros para que podamos tener una amistad maravillosa con Dios. Amén.

 CIC *Consulta el Catecismo de la Iglesia Católica, números 1846 a 1850, para obtener más información sobre el contenido del capítulo.*

CHAPTER 15

Family Faith

Catholics Believe

- God always forgives those who are truly sorry and want to do better.
- God asks that we forgive others and ourselves.

Read Luke 19:1–10 about a time Jesus forgave someone.

www.osvcurriculum.com
For weekly Scripture readings and seasonal resources

Activity

Live Your Faith

Play a Penny Game Talk with your family about words and actions you can use to show forgiveness. You will need some rolls of pennies and a bowl. Drop a penny into the bowl whenever someone asks for or offers forgiveness. When the bowl is full, offer the money to your parish.

People of Faith

▲ Saint Teresa of Jesus of the Andes, 1900–1920

Saint Teresa of Jesus is the first canonized saint of Chile. At the age of nineteen, she entered the Carmelites of Los Andes. She is known for her loving relationship with God. Much of her day was spent praying and writing down her conversations with God. Many of her letters inspire people to love God more each day. She died when she was only twenty years old. Saint Teresa's feast day is April 12. She is the patron of those who are sick.

Family Prayer

Saint Teresa, pray for us that we may have a wonderful friendship with God. Amen.

In Unit 5 your child is learning about MORALITY.

CCC *See Catechism of the Catholic Church 1846–1850 for further reading on chapter content.*

Repaso de la Unidad 5

Trabaja con palabras Encierra en un círculo la palabra o palabras que completen correctamente cada enunciado.

1. Jesús enseñó a sus seguidores a ______ los demás.

   servir a **divertirse con**

2. Los ______ Mandamientos dicen cómo amar a Dios y a los demás.

   Cinco **Diez**

3. Las decisiones ______ te ayudan a mostrar tu amor y respeto por Dios y por los demás.

   incorrectas **correctas**

4. Cuando ______ a Dios, pecas.

   desobedeces **obedeces**

5. Jesús enseñó que Dios ______.

   olvida **perdona**

Unit 5 Review

Work with Words Circle the correct word to complete each sentence.

1. Jesus taught his followers to ______ others.

   serve **have fun with**

2. The ______ Commandments tell how to love God and others.

   Five **Ten**

3. ______ choices help you show love and respect for God and others.

   Wrong **Right**

4. When you ______ God, you sin.

   disobey **obey**

5. Jesus taught that God ______.

   forgets **forgives**

UNIDAD 6

Sacramentos

Capítulo 16

Jesús, el Salvador

¿De qué manera salva Jesús a todas las personas?

Capítulo 17

Los sacramentos

¿De qué manera está Jesús con la Iglesia?

Capítulo 18

El Bautismo

¿De qué manera te conviertes en miembro de la Iglesia?

¿Qué crees que aprenderás en esta unidad acerca del amor de Dios?

UNIT 6

Sacraments

Jesus the Savior

How does Jesus save all people?

Sacraments

How is Jesus with the Church?

Baptism

How do you become a member of the Church?

What do you think you will learn in this unit about God's love?

Capítulo 16 Jesús, el Salvador

Líder: Gracias por salvarnos, Jesús.
"Señor, te llamo,
ven a mí sin demora...".

Salmo 141, 1

Todos: Gracias por salvarnos, Jesús. Amén.

Actividad Comencemos

El rescate

—Auxilio, auxilio —gritó Tania.

Cuanto más tiraba, más retorcido quedaba su pie debajo del tronco del árbol. Tania esperaba que alguien la oyera.

—Auxilio, auxilio —gritó otra vez.

Finalmente, el padre de Tania oyó sus gritos y corrió rápidamente para ayudarla. Tuvo que hacer un gran esfuerzo para liberar el pie de la niña.

—Gracias, papi. Tenía miedo de que nunca me escucharías.

- ¿Cuándo te ha ayudado alguien?

Chapter 16

Jesus the Savior

Leader: Thank you for saving us, Jesus.
"LORD, I call to you;
come quickly to help me . . ."
Based on Psalm 141:1

All: Thank you for saving us, Jesus. Amen.

Activity **Let's Begin**

The Rescue

"Help, help," cried Tanya.

The harder she pulled, the more her foot became twisted under the tree trunk. Tanya hoped someone would hear her.

"Help, help," she cried again.

Finally, Tanya's father heard her cries. He ran quickly to help her. He had to work hard to get her foot out.

"Thank you, Dad. I was afraid you would never hear me."

- When has someone helped you?

Los primeros seres humanos

¿Por qué necesitaba el pueblo de Dios que se le salvara?

Dios creó a las primeras personas para que fueran como Él. Las hizo felices y les dio un jardín para que cuidaran. Adán y Eva tomaron una mala decisión; trajeron el pecado al mundo.

Dios ama

Adán y Eva ya no eran la clase de personas que Dios quería que fueran.

Ellos rompieron su amistad con Dios. Sufrieron y extrañaron a Dios.

Pero Dios no dejó de amarlos y quería que ellos lo amaran.

¿Cómo muestras amor por Dios?

The First Humans

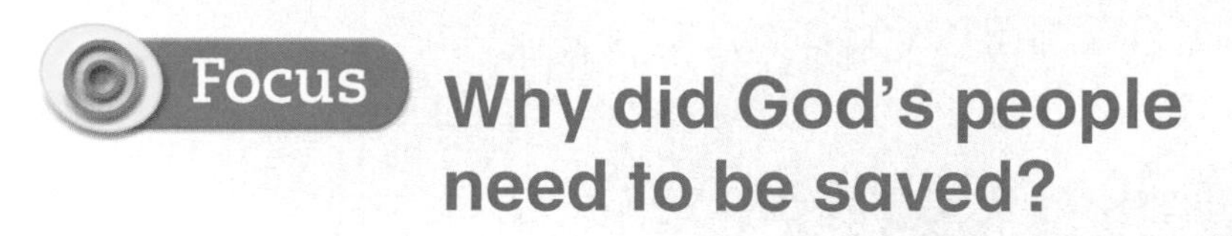

Focus **Why did God's people need to be saved?**

God created the first people to be like him. He made them happy and gave them a garden to care for. Adam and Eve made a bad choice. They brought sin into the world.

God Loves

Adam and Eve were no longer the kind of people God wanted them to be.

They broke their friendship with God. They suffered, and they missed God.

But God did not stop loving them. He wanted them to love him.

How do you show love for God?

La promesa de Dios

Dios dijo: "Los amo siempre. Les demostraré cuánto los amo. Enviaré a un **Salvador** para que los guíe de regreso a mí".

Actividad Comparte tu fe

Piensa: ¿De qué manera te acerca más Jesús a Dios Padre?

Comunica: Habla con un compañero acerca de Jesús.

Actúa: Pinta de rojo los espacios marcados con X y de azul los espacios marcados con O, y hallarás un nombre para Jesús.

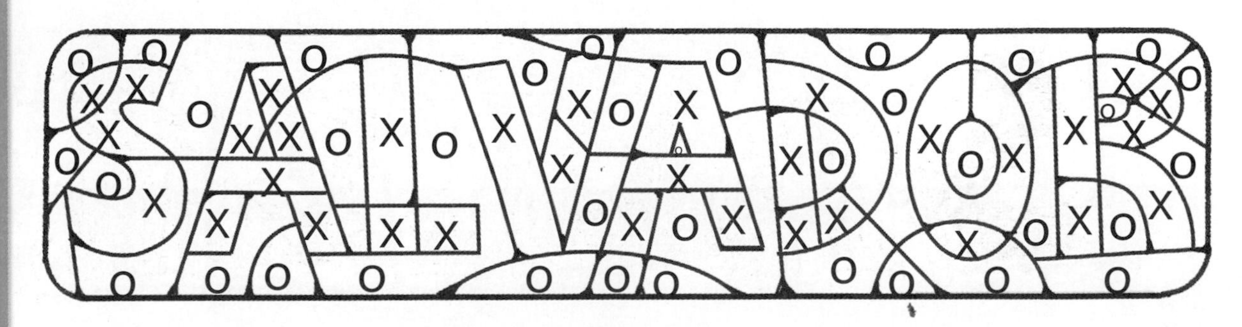

God's Promise

God said, "I love you always. I will show you how much I love you. I will send a **Savior** to bring you back to me."

Faith Fact

Jesus is the **Savior** because God the Father sent him to save people and bring them back to God.

Activity Share Your Faith

Think: How does Jesus bring you closer to God the Father?

Share: Talk with a partner about Jesus.

Act: Color the X's red and the O's blue to find a name for Jesus.

Jesús salva

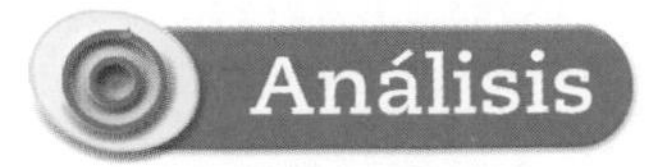

¿Qué hizo Jesús para salvar a las personas?

Jesús salvó a las personas del poder del pecado. También las guió de regreso a Dios. Jesús es el Salvador.

LA SAGRADA ESCRITURA Lucas 23–24

Jesús vive

Algunas personas no creían que Jesús era el Hijo de Dios. Lo arrestaron y lo clavaron en una cruz, donde murió. Sus amigos pusieron su cuerpo en una cueva y la cerraron con una gran piedra.

Unas mujeres santas fueron a visitar la cueva donde habían puesto a Jesús. La gran piedra había sido movida. La cueva estaba vacía. Dos ángeles dijeron: "Jesús no está aquí. ¡Ha resucitado de entre los muertos!".

Luego Jesús apareció ante sus seguidores. Comió con ellos. Les mostró sus heridas.

Basado en Lucas 23–24

¿Qué habrías pensado de la cueva vacía si hubieras estado allí con las mujeres?

Jesus Saves

Focus **What did Jesus do to save people?**

Jesus saved people from the power of sin. He also brought them back to God. Jesus is the Savior.

SCRIPTURE **Luke 23–24**

Jesus Lives

Some people did not believe that Jesus was God's Son. He was arrested and nailed to a cross, where he died. His friends laid his body in a cave and blocked it with a large stone.

Some holy women went to visit the cave where Jesus was laid. The large stone was rolled away. The cave was empty. Two angels said, "Jesus is not here. He is risen from the dead!"

Then Jesus appeared to his followers. He ate with them. He showed them his wounds.

Based on Luke 23–24

What would you have thought about the empty cave if you had been there with the women?

Vida nueva junto a Dios

Jesús murió por todas las personas para salvarlas de sus pecados. Jesús dio su vida para que la gente pudiera tener vida nueva junto a Dios.

Al regreso de Jesús a una vida nueva se le llama **Resurrección**. Este paso es un misterio sagrado. La Iglesia celebra la Resurrección de manera especial durante la Pascua.

Palabras de fe

La **Resurrección** es el nombre del regreso de Jesús a una vida nueva.

Actividad Practica tu fe

La Buena Nueva Haz una tarjeta de Pascua para tu familia. Traza las palabras que cuentan la Buena Nueva.

Jesus ha resucitado!

New Life with God

Jesus died for all people to save them from their sins. Jesus gave his life so that people could have new life with God.

Jesus' being raised from the dead is called the **Resurrection**. Jesus' being raised to new life is a holy mystery. The Church celebrates the Resurrection in a special way on Easter.

Words of Faith

The **Resurrection** is the name for Jesus' being raised from death to new life.

Activity Connect Your Faith

Good News Make an Easter card for your family. Trace the words that tell the good news.

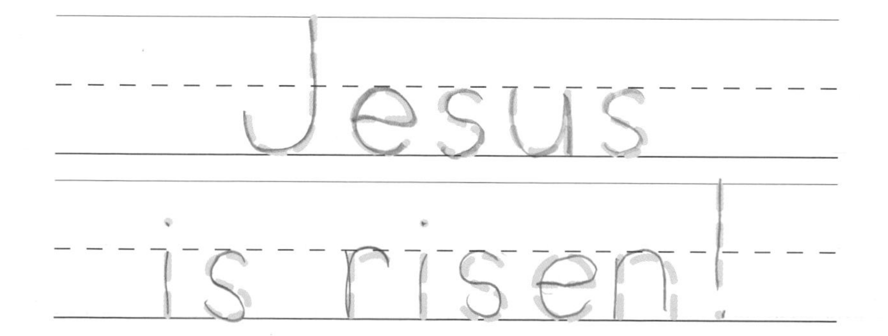

Una oración de alabanza

Reúnanse y comiencen con la señal de la cruz.

Líder: Cristo ha muerto.

Todos: Cristo ha muerto.

Líder: Cristo ha resucitado.

Todos: Cristo ha resucitado.

Líder: Cristo de nuevo vendrá.

Todos: Cristo de nuevo vendrá.

Canten juntos el estribillo.

¡Aleluya, aleluya, aleluya, alelú!

"Alleluia". Tradicional.

Prayer of Praise

Gather and begin with the Sign of the Cross.

Leader: Jesus loves us.

All: Share the Good News.

Leader: Jesus died to save us.

All: Share the Good News.

Leader: Jesus rose to new life.

All: Share the Good News.

Sing together the refrain.

Alleluia, alleluia, Alleluia, allelu!

"Alleluia," Traditional

Repasar y aplicar

Trabaja con palabras Completa cada enunciado de la columna 1 escribiendo la letra de la palabra de la columna 2 que le corresponda.

Columna 1	Columna 2
1. Los primeros humanos ______ a Dios.	a. amando
2. Dios sigue ______ a su pueblo.	b. Salvador
3. La ______ es el nombre del regreso de Jesús a la vida.	c. desobedecieron
4. Jesús es el ______.	d. felices
5. Dios hizo a las personas para que fueran ______ con Él.	e. Resurrección

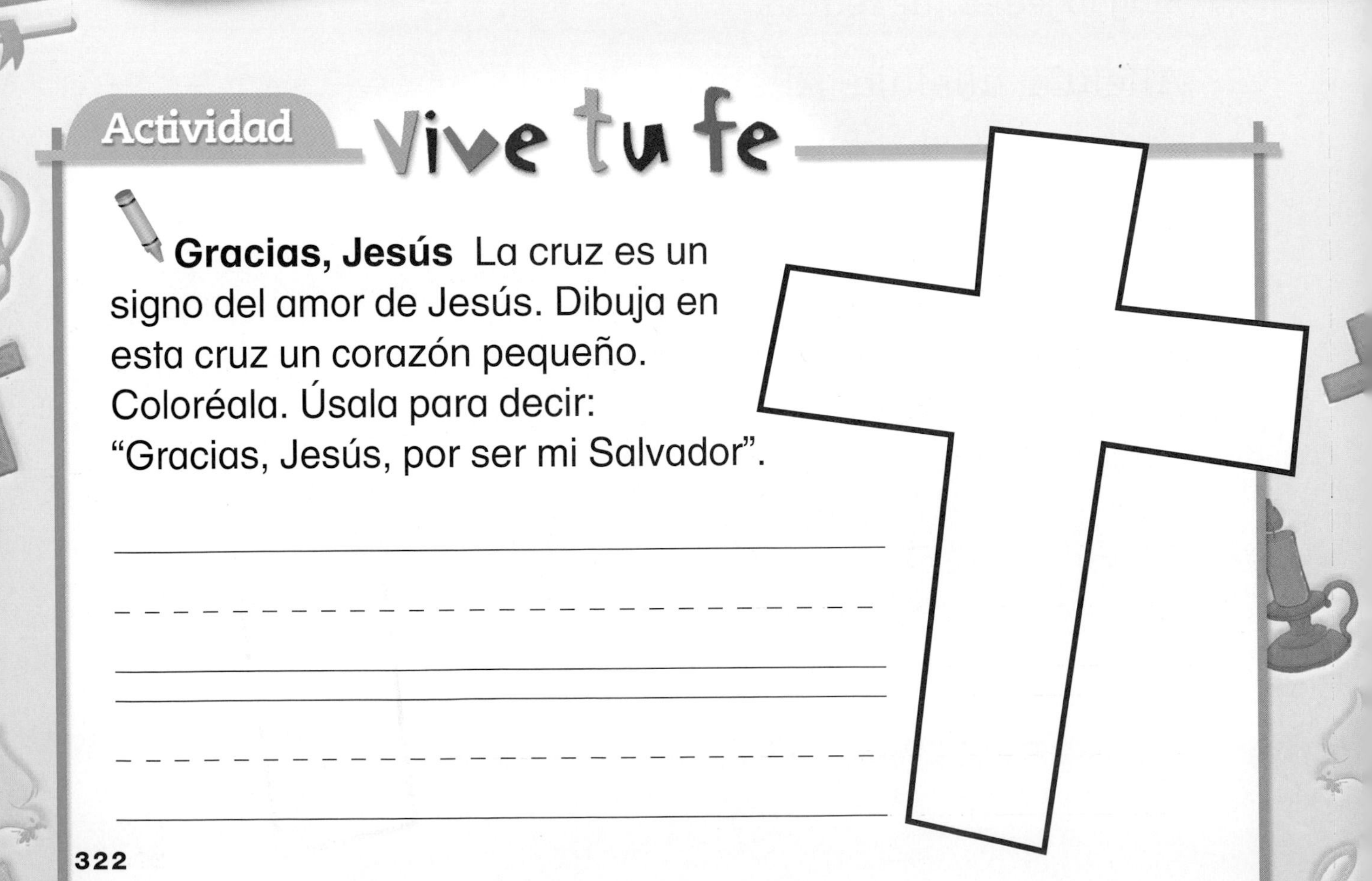

Actividad Vive tu fe

Gracias, Jesús La cruz es un signo del amor de Jesús. Dibuja en esta cruz un corazón pequeño. Coloréala. Úsala para decir: "Gracias, Jesús, por ser mi Salvador".

Review and Apply

Work with Words Complete each sentence in Column 1 by writing the letter of the correct word from Column 2.

Column 1	Column 2
1. The first humans ___c___ God.	a. loves
2. God still ___a___ his people.	b. Savior
3. The ___e___ is the name for Jesus' rising from the dead.	c. disobeyed
4. Jesus is the ___b___.	d. happy
5. God made people to be ___d___ with him.	e. Resurrection

Activity Live Your Faith

Thank You, Jesus The cross is a sign of Jesus' love. Draw a small heart on the cross. Color the cross. Use it to say "Thank you, Jesus, for being my Savior."

La fe en familia

Lo que creemos

- Dios te ama tanto, que envió a su Hijo para salvarte.
- Jesús murió y resucitó a una nueva vida.

LA SAGRADA ESCRITURA

Lee Juan 5, 1–11 para ver lo que el apóstol Juan dijo de Jesús.

APRENDE en línea Visita **www.osvcurriculum.com** para encontrar recursos basados en el año litúrgico y lecturas semanales de la Sagrada Escritura.

Actividad

Vive tu fe

Honren la cruz La cruz es un recordatorio de la vida, la muerte y la Resurrección de Jesús. Cuando vayan en el auto, vean quién es el primero en ver la cruz que está en las iglesias por las que pasen. Cuando pasen por cada iglesia, hagan la señal de la cruz y digan una oración por todo el pueblo de Dios.

Siervos de la fe

Josefina (Giuseppina) Bakhita nació en Sudán en 1869. Cuando tenía doce años, la secuestraron y la hicieron esclava. Luego se hizo monja católica y se convirtió en un verdadero testigo del amor de Dios. Cuidaba a los niños, consolaba a los pobres y alentaba a todos los que iban a su casa. Su deseo más grande era que todos conocieran a Dios. Es la primera santa de Sudán que fue canonizada. La Iglesia celebra su día el 8 de febrero.

▲ Santa Giuseppina Bakhita, 1869–1947

Una oración en familia

Querido Dios, ayúdanos a ser como santa Giuseppina y a dar consuelo a los enfermos y a los que necesitan una palabra de aliento. Amén.

 CIC *Consulta el Catecismo de la Iglesia Católica, números 639 a 642, para obtener más información sobre el contenido del capítulo.*

Family Faith

Catholics Believe

- God loves you so much that he sent his Son to save you.
- Jesus died and rose to new life.

SCRIPTURE

Read John 5:1–11 to see what the Apostle John said about Jesus.

GO online **www.osvcurriculum.com**
For weekly Scripture readings and seasonal resources

Activity

Live Your Faith

Honor the Cross The cross is a reminder of Jesus' life, death, and Resurrection. When you're in the car, see who is the first to spot the cross on churches you drive by. As you pass each church, make the Sign of the Cross and say a prayer for all God's people.

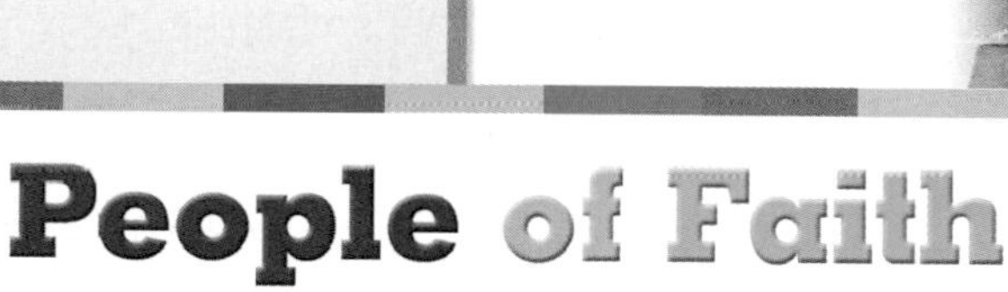

People of Faith

In 1869, **Josephine** (Giuseppina) Bakhita was born in the Sudan. At twelve she was kidnapped and made a slave. She became a Catholic nun and a true witness to God's love. She took care of children, comforted people who were poor, and encouraged all who came to her house. Her greatest desire was for everyone to know God. She is the first canonized saint of the Sudan. The Church celebrates her feast day on February 8.

▲ Saint Giuseppina Bakhita, 1869–1947

Family Prayer

Merciful God, help us be like Saint Giuseppina and give comfort to people who are sick or in need of a cheery word. Amen.

In Unit 6 your child is learning about SACRAMENTS.

CCC *See Catechism of the Catholic Church 639–642 for further reading on chapter content.*

Capítulo 17 Los sacramentos

Oremos

Líder: Dios, te damos gracias por el regalo del amor.
"Que los pueblos te den gracias, Oh Dios,
que todos los pueblos te den gracias".
Salmo 67, 6

Todos: Dios, te damos gracias por el regalo del amor.
Amén.

Actividad Comencemos

Muchos signos

Los signos son como pistas. Un pastel y globos son signos de una fiesta. Las nubes oscuras y el viento pueden ser los signos de una tormenta. Algunos signos te dicen qué hacer. Otros te pueden decir cómo pensar o sentir.

- ¿Cuáles son algunos signos de la estación en que estás ahora?

Chapter 17 Sacraments

Let Us Pray

Leader: God, we thank you for the gift of love.
"May the peoples praise you, God;
may all the peoples praise you!"
Psalm 67:6

All: God, we thank you for the gift of love. Amen.

Activity **Let's Begin**

Many Signs
Signs are like clues. Cake and balloons are signs of a party. Dark clouds and wind may be signs of a storm. Some signs tell you what to do. Others may tell you how to think or feel.

- What are some signs of the season you are in now?

Signos de amor

Análisis **¿De qué manera sientes y ves el amor de Dios?**

UN RELATO

EL MAPACHE MATÍAS

Matías se sentó debajo de un árbol.

—¿Qué te pasa, Matías? ¿Adónde fueron tus amigos? —preguntó mamá Mapache.

—Estábamos jugando y se me clavó una astilla —dijo Matías mostrando la pata a su madre—. Cuando comencé a llorar, todos se fueron corriendo.

—No tengas miedo —le dijo ella. Mamá Mapache tomó la pata de Matías entre las suyas y dulcemente la besó. El dolor desapareció y Matías dejó de llorar.

Mamá Mapache dijo:

—Matías, si alguna vez estás herido o te sientes solo, piensa en mí. ¡Yo te amo!

¿Qué te ayuda a recordar el amor de tu familia?

Signs of Love

Focus **How do you feel and see God's love?**

A STORY

Ricky the Raccoon

Ricky sat alone at the bottom of a tree. "What's wrong, Ricky? Where did your friends go?" Mama Raccoon asked.

"We were playing. I got a splinter," he said, and showed his paw to his mother. "When I cried, they all ran away."

"Don't be scared," she said. Mama Raccoon took Ricky's paw in hers and gently gave it a kiss. The pain went away and Ricky stopped crying.

Mama Raccoon said, "Ricky, if you ever hurt or you're alone, just think of me. I love you!"

? What helps you remember your family's love?

El amor de Dios

Matías recibió un signo del amor de su madre. Dios también te da signos de su amor.

En la Biblia lees acerca del amor de Dios. Aprendes sobre su amor por medio de Jesús. Jesús sanaba a la gente como un signo del amor de su Padre.

El Espíritu Santo te llena del amor de Dios. Cuando muestras el amor de Dios a la gente, el Espíritu Santo está en ti.

Actividad Comparte tu fe

Piensa: ¿Cuáles son algunas imágenes o cosas que te recuerdan a Dios?

Comunica: Con un compañero, haz una lista de cosas que recuerdes de tu iglesia.

Actúa: Vayan con la clase a la iglesia y jueguen a “yo veo”. Nombren los diferentes signos de Dios que haya en la iglesia.

God's Love

Ricky had a sign of his mother's love. God gives you signs of his love, too.

You read about God's love in the Bible. You learn about God's love from Jesus. Jesus healed people as a sign of his Father's love.

The Holy Spirit fills you with God's love. When you show God's love to people, the Holy Spirit is in you.

Activity — Share Your Faith

Think: What are some pictures or items that remind you of God?

Share: Make a list with a partner of things you remember from your church.

Act: As a class walk to the church and play "I Spy." Name the different signs of God in the church.

Signos especiales

¿Qué es un sacramento?

¡El amor de Dios es algo digno de celebrar! ¡Jesús te enseña que Dios está siempre contigo!

Jesús dio a la Iglesia signos especiales que ayudan a la gente a celebrar su presencia, porque Él aún está con nosotros. Estos signos se llaman **sacramentos**.

Juan 14, 18–19

Léemelo

La promesa de Jesús

Jesús quería permanecer con sus seguidores aun después de regresar a Dios Padre. Esto es lo que les dijo:

"No los dejaré huérfanos, sino que volveré a ustedes. Dentro de poco el mundo ya no me verá, pero ustedes me verán, porque yo vivo y ustedes también vivirán".

Tomado de Juan 14, 18–19

¿Cómo muestras que el amor de Dios está contigo?

Special Signs

What is a Sacrament?

God's love is something to celebrate! Jesus teaches that God is always with you!

Jesus gave the Church special signs to help people celebrate that he is still here. These signs are called **Sacraments**.

SCRIPTURE — John 14:18–19

Jesus' Promise

Jesus wanted to remain with his followers even when he returned to God the Father. This is what he said to them.

"I will not leave you orphans; I will come to you. In a little while the world will no longer see me, but you will see me, because I live and you will live."

From John 14:18–19

How do you show that God's love is with you?

Signos y celebraciones

Jesús nos da los sacramentos para que podamos conocer siempre su amor y cuidado. La Iglesia Católica tiene siete sacramentos.

Los sacramentos son signos y celebraciones. Todos los sacramentos tienen palabras y acciones. Cuando celebras los sacramentos, el Espíritu Santo está presente.

Sacramentos de Iniciación	• Bautismo • Confirmación • Eucaristía
Sacramentos de Curación	• Reconciliación • Unción de los Enfermos
Sacramentos al Servicio de la Comunidad	• Matrimonio • Orden

Palabras de fe

Los **sacramentos** son signos del amor de Dios, que Jesús nos dio para acercarnos más a Dios.

Actividad Practica tu fe

Dibuja un sacramento Piensa en un sacramento en el que hayas participado. Dibuja algo de esa celebración.

Signs and Celebrations

Jesus gives us Sacraments so that we can always know his love and care. The Catholic Church has seven Sacraments.

The Sacraments are signs and celebrations. Every Sacrament has words and actions. When you celebrate the Sacraments, the Holy Spirit is there.

Sacraments of Initiation	• Baptism • Confirmation • Eucharist
Sacraments of Healing	• Reconciliation • Anointing of the Sick
Sacraments of Service	• Matrimony • Holy Orders

Words of Faith

Sacraments are signs of God's love given by Jesus to bring you closer to God.

Activity Connect Your Faith

Draw a Sacrament Think of a Sacrament that you have taken part in. Draw something from the celebration.

Una oración de agradecimiento

Reúnanse y comiencen con la señal de la cruz.

Líder: Por el agua refrescante del Bautismo,

Todos: Gracias, Jesús.

Líder: Por el óleo consagrado que bendice,

Todos: Gracias, Jesús.

Líder: Por el regalo de tu vida en el pan y el vino sagrados,

Todos: Gracias, Jesús.

Canten juntos.

¡Cántenle y alábenle!
Hónrenle por su creación.
Que resuene el clamor.
¡Canten al Señor!

Prayer of Thanks

Gather and begin with the Sign of the Cross.

Leader: For Baptism's refreshing water,

All: Thank you, Jesus.

Leader: For holy oil that blesses,

All: Thank you, Jesus.

Leader: For the gift of your life in the holy Bread and Wine,

All: Thank you, Jesus.

Sing together.

Sing, sing, praise and sing!
Honor God for ev'rything.
Sing to God and let it ring.
Sing and praise and sing!

"Sing, Sing, Praise and Sing," Elizabeth Syré

Repasar y aplicar

Comprueba lo que aprendiste Encierra en un círculo la respuesta correcta.

1. ¿Cuáles son los siete signos del amor de Dios que tiene la Iglesia?

   los mandamientos **los sacramentos**

2. ¿Está Dios contigo en los sacramentos?

   Sí **No**

3. ¿Qué tienen todos los sacramentos?

   pan **palabras**

4. ¿Qué hizo Jesús por las personas?

   las lastimó **las sanó**

5. ¿Qué son los sacramentos?

   celebraciones **relatos**

Actividad Vive tu fe

Los sacramentos te fortalecen para que puedas mostrar el amor de Dios a los demás. Piensa en cómo has mostrado el amor de Dios a los demás durante la semana pasada. Haz un dibujo.

Review and Apply

Check Understanding Circle the correct answers.

1. What are the Church's seven signs of God's love?

   commandments **Sacraments**

2. God is with you in the Sacraments.

   Yes **No**

3. What do all Sacraments have?

   bread **words**

4. What did Jesus do for people?

   hurt them **healed them**

5. What are the Sacraments?

   celebrations **stories**

Activity Live Your Faith

Sacraments make you strong so you can show God's love to others. Think about how you have shown God's love to others in the past week. Draw a picture of it.

CAPÍTULO 17

La fe en familia

Lo que creemos

- La Iglesia tiene siete sacramentos. Los sacramentos son signos del amor de Dios.
- Jesús dio los sacramentos para darnos una parte en su vida.

LA SAGRADA ESCRITURA

Lee Mateo 9, 27–31 para aprender sobre el poder de Jesús para sanar.

APRENDE en línea Visita **www.osvcurriculum.com** para encontrar recursos basados en el año litúrgico y lecturas semanales de la Sagrada Escritura.

Actividad

Vive tu fe

Dibujen "manos que alivian" Pide a cada familiar que dibuje el contorno de su mano en una cartulina. Luego escriban un mensaje amoroso en cada mano. Guarden sus manos y dénselas a un familiar cuando tenga un mal día.

Siervos de la fe

▲ María, siglo I

Un día Dios dio este mensaje a **María**: "Tendrás un hijo al que llamarás Jesús". María estaba confundida, y preguntó: "¿Cómo puede ser esto?". El mensajero de Dios dijo: "El Espíritu Santo descenderá sobre ti. Tu hijo será el Hijo de Dios". María no sabía por qué Dios la había elegido para ser la madre de su Hijo, pero confiaba en el amor de Dios. María se convirtió en la madre amorosa de Jesús. Ella es la más importante de todos los santos.

Una oración en familia

Querida María, ruega por nosotros para que siempre podamos creer en el gran amor de Dios por nosotros. Amén.

 CIC *Consulta el Catecismo de la Iglesia Católica, números 1131 a 1134, para obtener más información sobre el contenido del capítulo.*

Family Faith

Catholics Believe

- The Church has seven Sacraments. They are signs of God's love.
- Jesus gave the Sacraments to remind people that he is with them always.

SCRIPTURE

Read Matthew 9:27–31 to learn about Jesus' power to heal.

GO online **www.osvcurriculum.com**
For weekly Scripture readings and seasonal resources

Activity

Live Your Faith

Make "Helping Hands" Have each family member draw the outline of his or her hand on art paper. Then write a loving message on each hand. Save your hands, and give them to a family member if he or she is having a bad day.

▲ **Mary, first century**

People of Faith

One day God gave **Mary** a message. "You will have a son. You will name him Jesus." Mary was confused. She said, "How can this be done?" God's messenger said, "The Holy Spirit will come upon you. Your son will be the Son of God." Mary did not know why God had chosen her to be the mother of his Son. She trusted in God's love. Mary became the loving mother of Jesus. She is the greatest of saints.

Family Prayer

Blessed Mother, pray for us that we may always believe in God's great love for us. Amen.

In Unit 6 your child is learning about SACRAMENTS.

CCC *See Catechism of the Catholic Church 1131–1134 for further reading on chapter content.*

Capítulo 18 El Bautismo

Líder: Nos diste agua viva, Oh Señor.
"Sepan que el Señor es Dios,
él nos hizo y nosotros somos suyos...".
Salmo 100, 3

Todos: Nos diste agua viva, Oh Señor. Amén.

Actividad Comencemos

La mesa que crece

A comer los Ming un día se sentaron,
y al empezar todos escucharon
un fuerte toc–toc que a la puerta
tocaron.
—¡Pueden entrar! —dijeron los Ming.
Enseguida entró un cartero cansado,
y detrás de él, el equipo de Conrado,
una abuelita y una niña de rizos dorados.
Te parecerá que son demasiados.
—¡Traigan sillas! —dijo el señor Ming—.
¡Uno o diez platos, y vasos que hagan
ting!
Sirvan la leche; traigan estofado,
¡Que ya la comida de nuevo ha
empezado!

- ¿Qué signos de bienvenida muestran los Ming?

Chapter 18 Baptism

Leader: You give us living water, O Lord.
"Know that the LORD is God,
our maker to whom we belong . . ."
Psalm 100:3

All: You give us living water, O Lord. Amen.

Activity Let's Begin

The Growing Table

The Mings sat down to dinner
But before they could begin,
There was a loud rap-tap-tap.
The Mings called, "Do come in!"
In strolled a weary postman
And Carrie's baseball team,
A granny and a cowgirl,
Too many, it would seem!
"Pull up a chair," said Mr. Ming.
"We'll add a plate—or ten!
Pour the milk; spoon out the stew.
We'll just begin again!"

- What signs of welcome do the Mings show?

¡Bienvenidos!

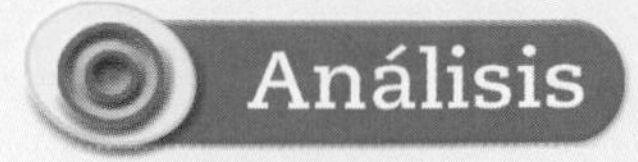

¿Qué sacramento te da la bienvenida a la Iglesia?

¡Los Ming dieron la bienvenida a un montón de personas! En su comida, todos se sintieron como en familia.

El **Bautismo** es tu bienvenida a la Iglesia. Dios te elige para que estés en la familia de la Iglesia.

Con el Bautismo viene el Espíritu Santo. Dios te hace su propio hijo. Comienzas a participar de su vida. La vida y el amor de Dios en ti se llaman **gracia**.

¿De qué manera das la bienvenida en tu casa o en tu salón de clases?

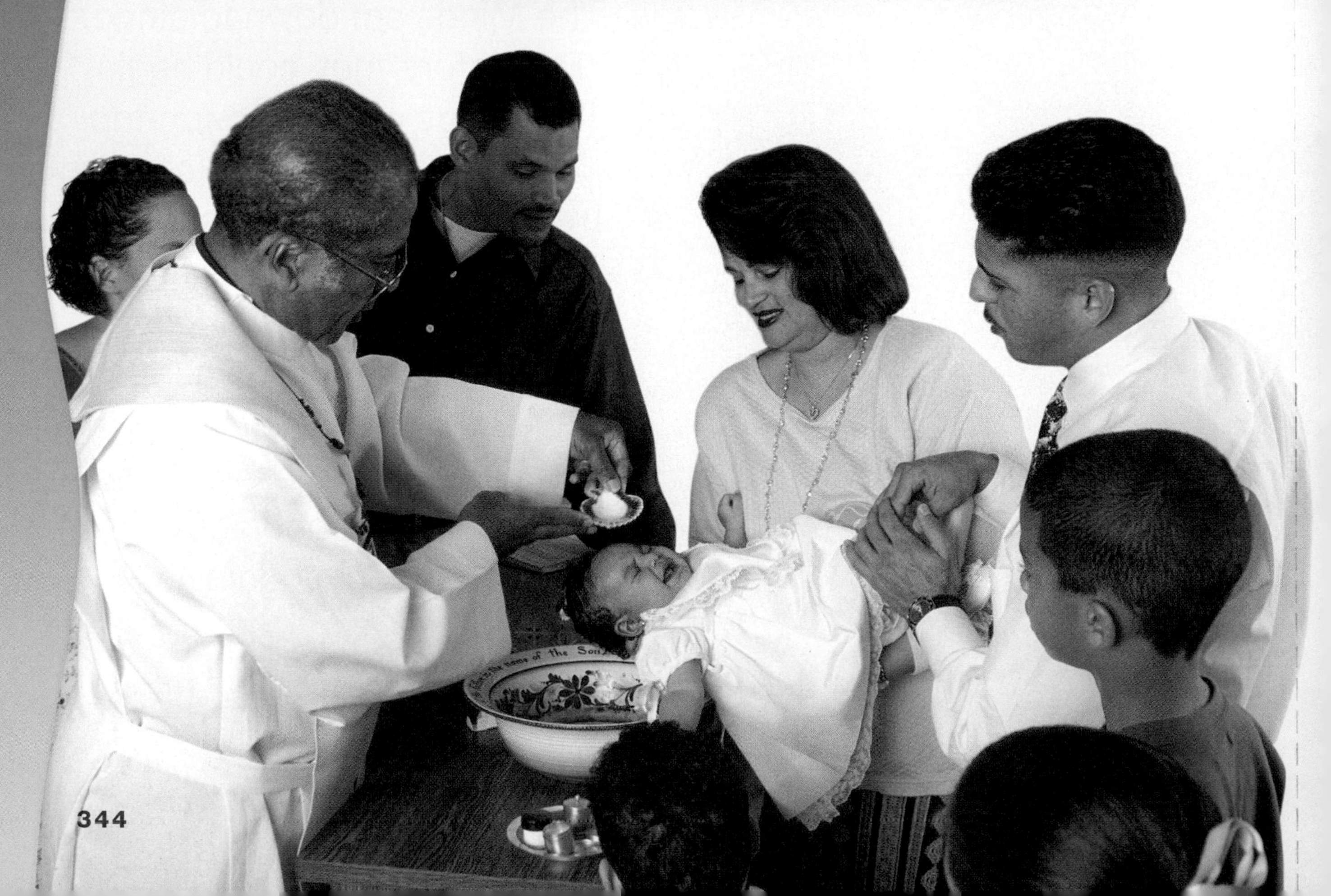

Welcome!

Focus **What Sacrament welcomes you into the Church?**

The Mings welcomed a lot of people! At their meal, everyone felt like family.

Baptism is your welcome into the Church. God chooses you to be in the Church family.

With Baptism, the Holy Spirit comes. God makes you his own child. You receive a share in his life. God's life and love in you is called **grace**.

How do you welcome people to your home or classroom?

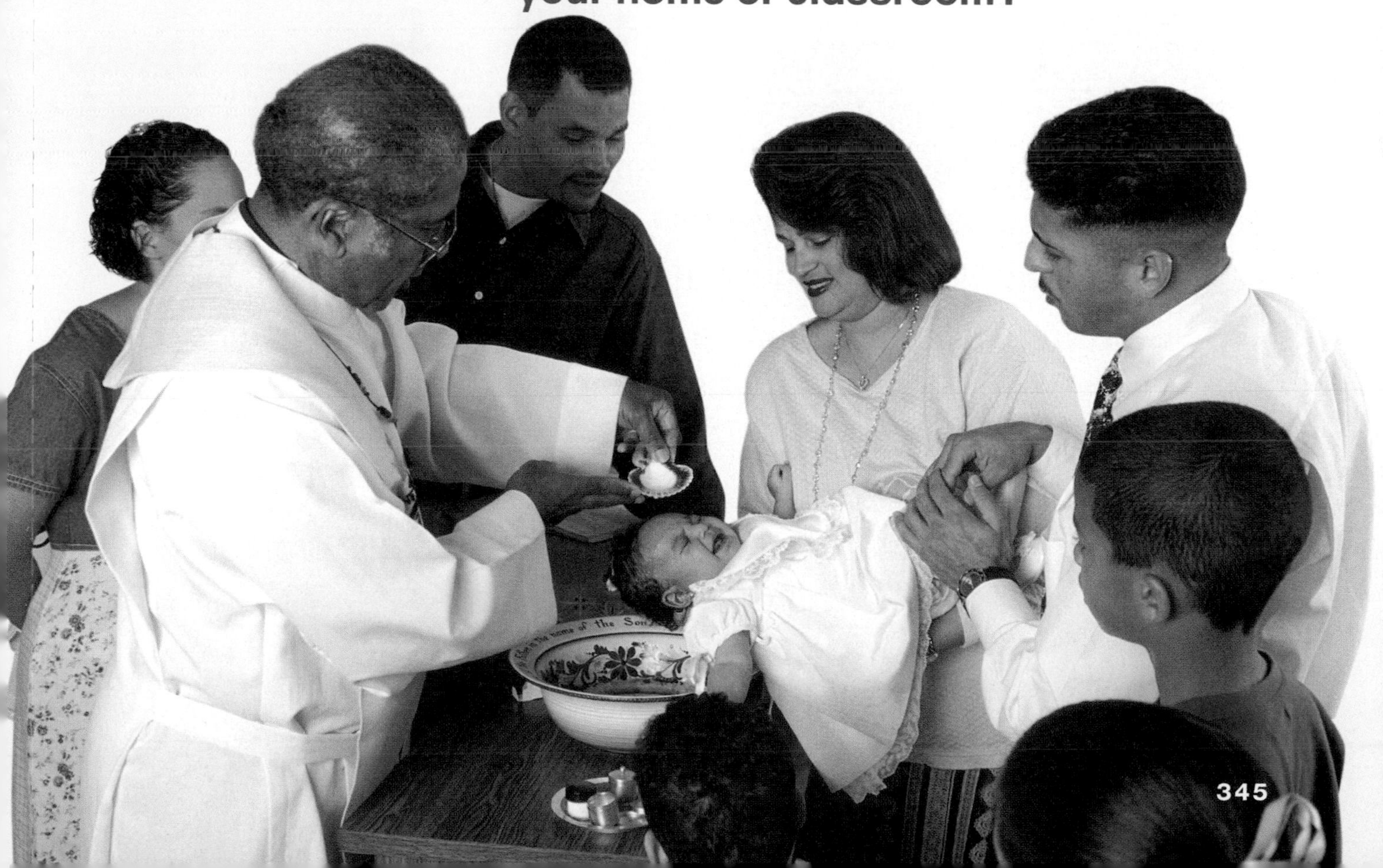

Seguir a Jesús

LA SAGRADA ESCRITURA

Jesús dijo: "A ustedes se les bautizará con el Espíritu Santo. Recibirán fuerza cuando el Espíritu Santo descienda sobre ustedes. Serán mis seguidores hasta los extremos de la tierra".

Basado en Hechos 1, 5 y 8

A las personas bautizadas que siguen a Jesús se les llama cristianos. El bautismo te ayuda a hacer la obra de Jesús.

Puedes participar en la clase y ser amable con los demás. Puedes hablar a los demás sobre Jesús y su amor. Puedes mostrar a los demás que te preocupas por ellos

¿Cómo pueden hacer los niños la obra de Jesús?

Palabras de fe

El **Bautismo** es el sacramento que te da vida nueva en Dios y te hace miembro de la Iglesia.

La **gracia** es participar de la vida y del amor de Dios.

Actividad Comparte tu fe

Piensa: Piensa de qué maneras podrías hablar a los demás sobre Jesús.

Comunica: Haz con tu clase una lista de esas maneras.

Actúa: Elige una manera en que ayudarás a los demás a saber sobre Jesús. Completa los espacios en blanco.

____

Yo ______________________________, prometo
[tu nombre]

____

______________________________________.

Follow Jesus

SCRIPTURE

Jesus said, "You will be baptized with the holy Spirit. You will receive power when the holy Spirit comes upon you. You will be my followers to the ends of the earth."

Based on Acts 1:5, 8

People who are baptized and who follow Jesus are called Christians. Baptism helps you do Jesus' work.

You can take part in class and be nice to others. You can tell others about Jesus and his love. You can show others you care.

What are ways children can do Jesus' work?

Words of Faith

Baptism is the Sacrament that brings you new life in God and makes you a member of the Church.

Grace is a sharing in God's life and love.

Activity: Share Your Faith

Think: Think about how you might tell others about Jesus.

Share: As a class, make a list of ways.

Act: Pick one way that you will help others know about Jesus. Fill in the blanks.

I, Jelaena, promise to
[your name]

be respectble to others.

Celebrar

Análisis ¿Qué sucede en el Bautismo?

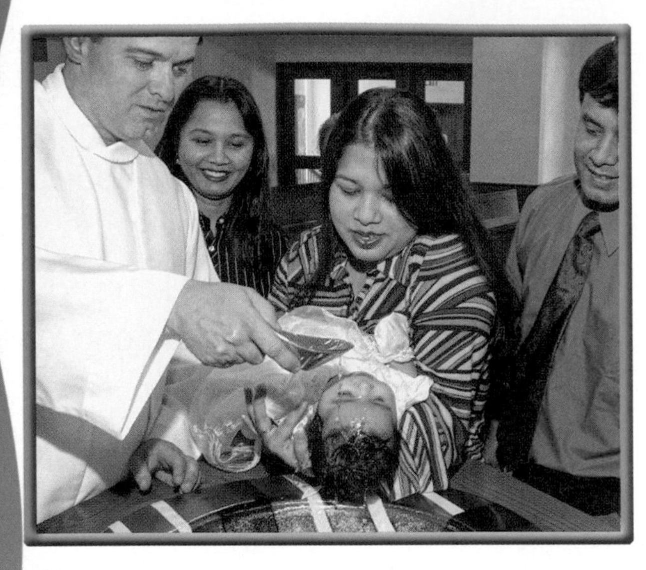

1 Vierten agua bendita sobre ti tres veces mientras dicen estas palabras: "[Tu nombre], yo te bautizo en el nombre del Padre, y del Hijo y del Espíritu Santo".

2 Te dan o le dan a tus padres una vela encendida. La luz es un signo de Jesús. Jesús te pide que seas como una luz y muestres su amor a los demás.

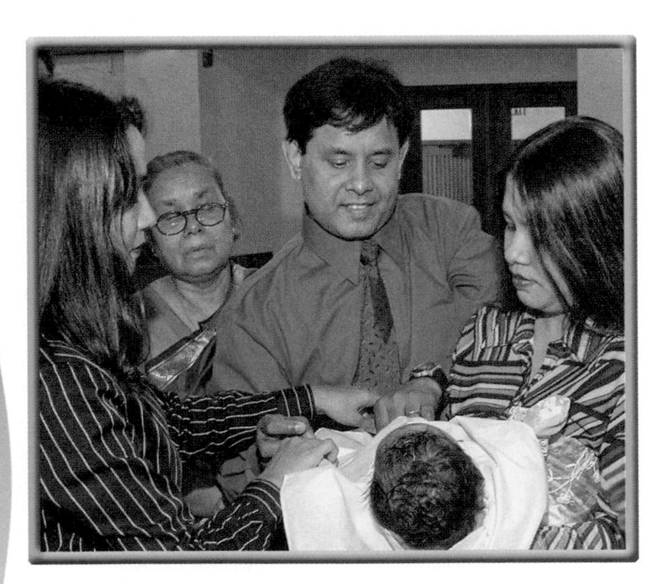

3 Recibes una prenda blanca. Es un signo de tu vida nueva en Cristo y de que ahora perteneces a la Iglesia.

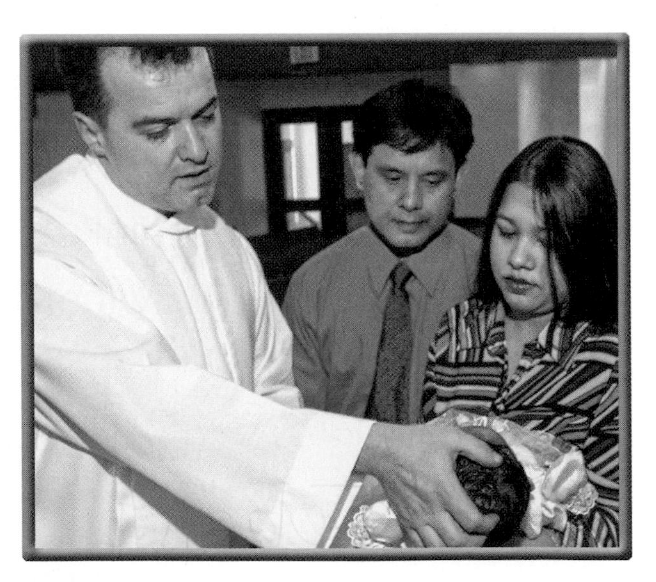

4 El sacerdote usa óleo consagrado para hacer la señal de la cruz en tu cabeza. Es un signo de que Dios te ha elegido.

Celebrate

Focus What happens in Baptism?

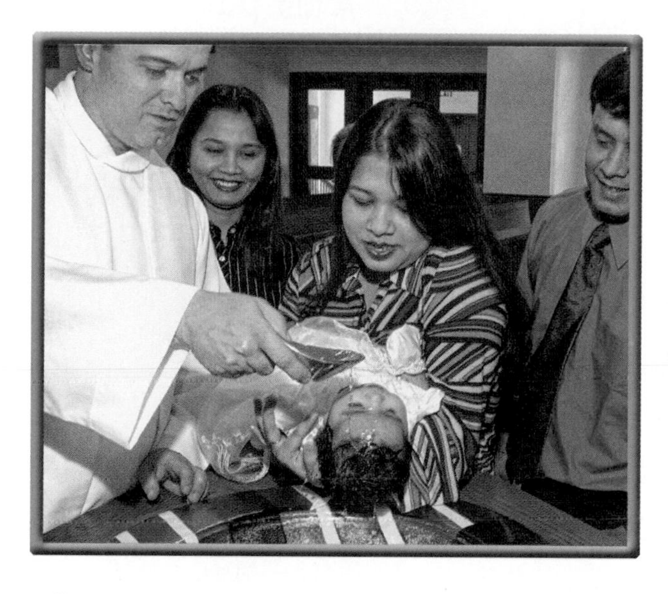

1 Holy water is poured over you three times while these words are prayed: "[Your name], I baptize you in the name of the Father, and of the Son, and of the Holy Spirit."

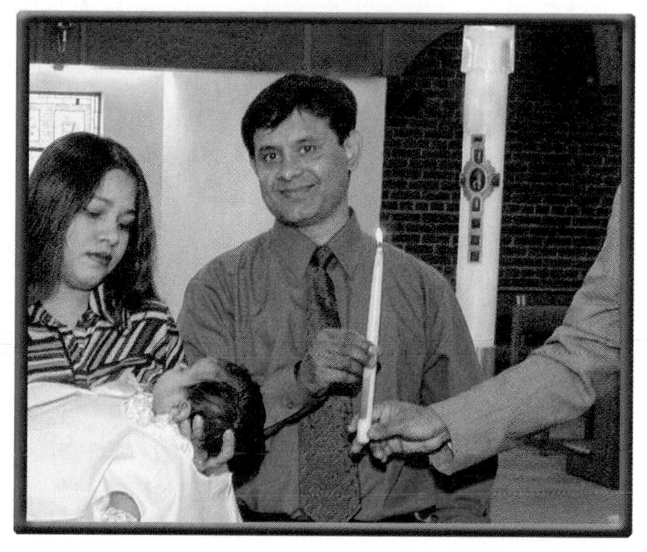

2 You or your parents are given a lit candle. Light is a sign of Jesus. Jesus asks you to be like a light and show his love to others.

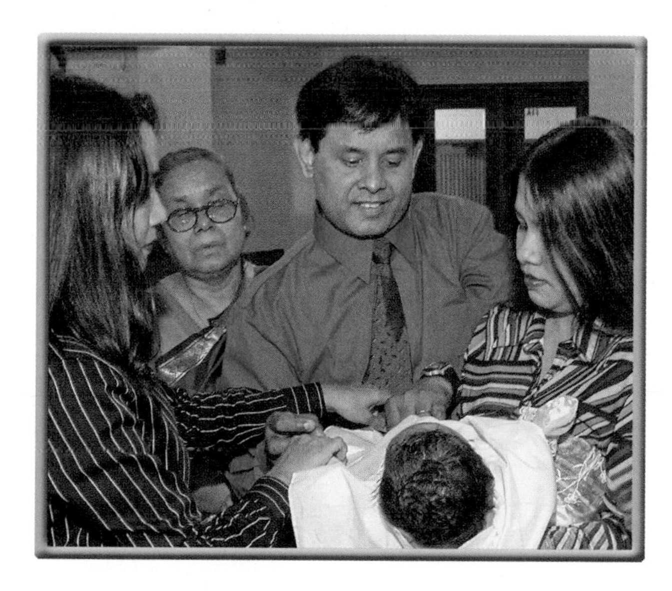

3 You receive a white garment. It is a sign of your new life in Christ and your membership in the Church.

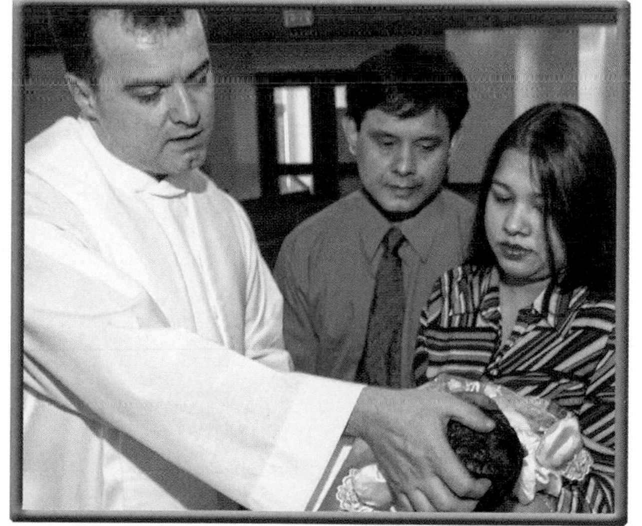

4 The priest uses blessed oil to make a cross on your head. It is a sign that you are chosen by God.

Tus padres y tus **padrinos** son también signos del amor de Dios. Ellos prometen ayudarte a vivir como hijo de Dios. La comunidad entera te ayudará a seguir a Jesús. Serán ejemplos para ti y te ayudarán a aprender sobre la Iglesia.

Palabras de fe

A tus **padrinos** los eligen tus padres para que te ayuden a seguir a Jesús. Generalmente están presentes en tu Bautismo.

Actividad Comparte tu fe

Juego de relacionar Dibuja líneas que relacionen las palabras con los dibujos.

Padrinos

Luz

Agua bendita

Óleo consagrado

Prenda blanca

Your parents and **godparents** are also signs of God's love. They promise that they will help you live as a child of God. The whole community will help you follow Jesus. They will be examples to you and will help you learn about the Church.

Your **godparents** are chosen by your parents to help you to follow Jesus. They are usually present at your Baptism.

Activity Share Your Faith

Match Game Draw lines to match the words and the pictures.

Godparents

Light

Holy water

Blessed oil

White garment

Una oración de bendición

Reúnanse y comiencen con la señal de la cruz.

Canten juntos.

Los que en Cristo habéis sido bautizados,
de Cristo os habéis revestido.
Aleluya, aleluya.

Líder: Gloria al Padre,
al Hijo,
al Espíritu Santo.

Todos: **Como era en un principio**
ahora y siempre,
por los siglos de los siglos.
Amén.

Blessing Prayer

Gather and begin with the Sign of the Cross.

Sing together.

You have put on Christ,
in him you have been baptized.
Alleluia, alleluia.

"You Have Put On Christ," *Rite of Baptism for Children* © 1969, ICEL.

Leader: Glory to the Father,
and to the Son,
and to the Holy Spirit:

All: **as it was in the beginning,
is now, and will be for ever.
Amen.**

Repasar y aplicar

Comprueba lo que aprendiste Ordena los pasos del Bautismo.

_______ Recibes una vela encendida.

_______ Hacen una marca en tu cabeza con óleo consagrado.

_______ Vierten agua sobre ti tres veces.

_______ Te dan una prenda blanca.

Respondan en grupo a esta pregunta.

¿Qué les da el Bautismo?

Actividad Vive tu fe

Represéntalo Los miembros de la familia de Dios muestran su amor todos los días. Representa una manera en que mostrarás el amor de Dios durante esta semana. Pide a tu clase que trate de adivinar lo que vas a hacer.

Review and Apply

Check Understanding Number the steps of Baptism in order.

_______ You receive a lit candle.

_______ Your head is marked with blessed oil.

_______ Water is poured over you three times.

_______ You are given a white garment.

Answer this question as a group.

What does Baptism give you?

Activity Live Your Faith

Act It Out Members of God's family show his love every day. Act out a way you will show God's love this week. Ask your class to guess what you will do.

La fe en familia

Lo que creemos

- La gracia es el don de participar del amor y de la vida de Dios.
- El Bautismo es tu bienvenida a la familia de la Iglesia.

LA SAGRADA ESCRITURA

Lee Mateo 3, 13–17 para aprender sobre el Bautismo de Jesús.

APRENDE en línea Visita **www.osvcurriculum.com** para encontrar recursos basados en el año litúrgico y lecturas semanales de la Sagrada Escritura.

Actividad

Vive tu fe

Recuerden el Bautismo Después de la Misa del domingo, visiten la pila bautismal de su iglesia. Recuerden a su hijo que el agua está bendecida. Busquen los signos de Dios o del Bautismo que adornan la pila. Al salir de la iglesia, pidan a cada familiar que haga la señal de la cruz con agua bendita.

▲ San Moisés el Negro, siglo IV

Siervos de la fe

Durante su adolescencia, **san Moisés** fue esclavo. Mucha gente le tenía miedo porque era muy alto. Moisés estaba descontento con su vida, así que empezó a buscar a Dios. Un sacerdote y un granjero le hablaron acerca de Dios y de cuanto lo amaba. Fue bautizado y más tarde se ordenó como sacerdote. Enseñó a los demás acerca del amor de Dios. Es el santo patrón de los afroamericanos. La Iglesia celebra el día de San Moisés el 28 de agosto.

Una oración en familia

San Moisés el Negro, ruega por nosotros para que seamos personas pacíficas y mostremos a los demás signos del amor de Dios. Amén.

 CIC *Consulta el Catecismo de la Iglesia Católica, números 1277 a 1282, para obtener más información sobre el contenido del capítulo.*

Family Faith

Catholics Believe

- God's love and life is called your sharing in grace.
- Baptism is your welcome into the Church family.

SCRIPTURE

Read Matthew 3:13–17 to find out about the baptism of Jesus.

GO online **www.osvcurriculum.com**
For weekly Scripture readings and seasonal resources

Activity

Live Your Faith

Remember Baptism Visit the baptismal font at your church after Sunday Mass. Remind your child that the water is blessed. Look for signs of God or of Baptism that decorate the font. On your way out of the church, have each member of the family make the Sign of the Cross with the holy water.

▲ **Saint Moses the Black, fourth century**

People of Faith

During his teenage years, **Saint Moses** was a slave. Many people were frightened of him because he was very, very tall. Moses was unhappy with his life, so he began to search for God. A priest and a farmer told Moses about God and God's love for him. Moses was baptized and later became a priest. He taught others about God's love. He is the patron saint of African Americans. The Church celebrates the feast day of Saint Moses on August 28.

Family Prayer

Saint Moses the Black, pray for us that we will be peaceful people and show others signs of God's love. Amen.

In Unit 6 your child is learning about SACRAMENTS.

CCC *See Catechism of the Catholic Church 1277–1282 for further reading on chapter content.*

Repaso de la Unidad 6

Trabaja con palabras Completa cada enunciado de la columna 1 escribiendo la letra de la palabra de la columna 2 que le corresponda.

Columna 1

1. La Resurrección es el nombre que se le da al regreso de ______ a la vida nueva.
2. Jesús es el ______.
3. Los ______ son signos del amor de Dios que Jesús nos dio para acercarnos más a Dios.
4. El ______ te ofrece vida nueva y te hace miembro de la Iglesia.
5. La ______ es el don de participar de la vida y del amor de Dios.

Columna 2

a. gracia

b. Salvador

c. Jesús

d. Bautismo

e. sacramentos

Unit 6 Review

Work with Words Complete each sentence in Column 1 by writing the letter of the correct word from Column 2.

Column 1

1. The Resurrection is the name for ______ rising from the dead.
2. Jesus is the ______.
3. ______ are signs of God's love given by Jesus to bring you closer to God.
4. ______ brings new life and makes you a member of the Church.
5. ______ is a sharing in God's life and love.

Column 2

a. Grace
b. Savior
c. Jesus'
d. Baptism
e. Sacraments

UNIDAD 7

El Reino

La Misa

¿Qué sucede durante la Misa?

Vida junto a Dios

¿Qué es el cielo?

El Reino de Dios

¿De qué manera ayudas a que el Reino crezca?

¿Qué crees que aprenderás en esta unidad acerca de la felicidad con Dios?

UNIT 7

Forever with God

The Mass

What happens during Mass?

Life with God

What is heaven?

God's Kingdom

How can you help the kingdom to grow?

What do you think you will learn in this unit about happiness with God?

Capítulo 19 La Misa

Oremos

Líder: Dios, te rendimos culto con alegría.
"¡Entremos, agachémonos, postrémonos;
de rodillas ante el Señor que nos creó!".
Salmo 95, 6

Todos: Dios, te rendimos culto con alegría. Amén.

Actividad Comencemos

Una temporada victoriosa
El equipo de Ángela practicó y por eso jugó bien. Ganaron el último partido y el trofeo.

- ¿Cómo crees que celebraron?
- ¿Cómo celebran tú y tu familia las ocasiones especiales?

Chapter 19 The Mass

Let Us Pray

Leader: God, we worship you with joy.
"Enter, let us bow down in worship;
let us kneel before the LORD who made us."
Psalm 95:6

All: God, we worship you with joy. Amen.

Activity Let's Begin

A Winning Season Angela's team practiced and played well. They won the last game and the trophy.

- How do you think they celebrated?
- How do you and your family celebrate special occasions?

En la Misa

Análisis **¿De qué manera celebras el amor de Dios en la Misa?**

Muchas familias celebran su amor con relatos, canciones, regalos y alimentos.

En la **Misa**, la familia de la Iglesia se reúne para celebrar el amor de Dios. ¡En la Misa también hay relatos, canciones, regalos y una comida!

¿Qué sabes de la Misa?

1 Nos reunimos para cantar y orar.

2 Escuchamos relatos de la Biblia.

At Mass

Focus **How do you celebrate God's love at Mass?**

Many families celebrate their love with stories, songs, gifts, and food.

At **Mass**, the Church family gathers to celebrate God's love. There are stories, songs, gifts, and a meal at Mass, too!

What do you know about the Mass?

1. You gather to sing and pray.

2. You listen to stories from the Bible.

3 El pan y el vino se convierten en el Cuerpo y la Sangre de Jesús.

4 Los que tienen la edad suficiente reciben a Jesús en la Sagrada Comunión.

Palabras de fe

La **Misa** es la gran celebración de alabanza y agradecimiento de la Iglesia.

Actividad Comparte tu fe

Mezcla de letras Mira las dos primeras letras de cada palabra en desorden. Escríbelas después de las otras letras para formar una palabra que hable sobre la Misa.

arcant ____________ aralab ____________

saMi ____________ asgraci ____________

ónComuni ____________

3 The bread and the wine become the Body and Blood of Jesus.

4 Those who are old enough receive Jesus in Holy Communion.

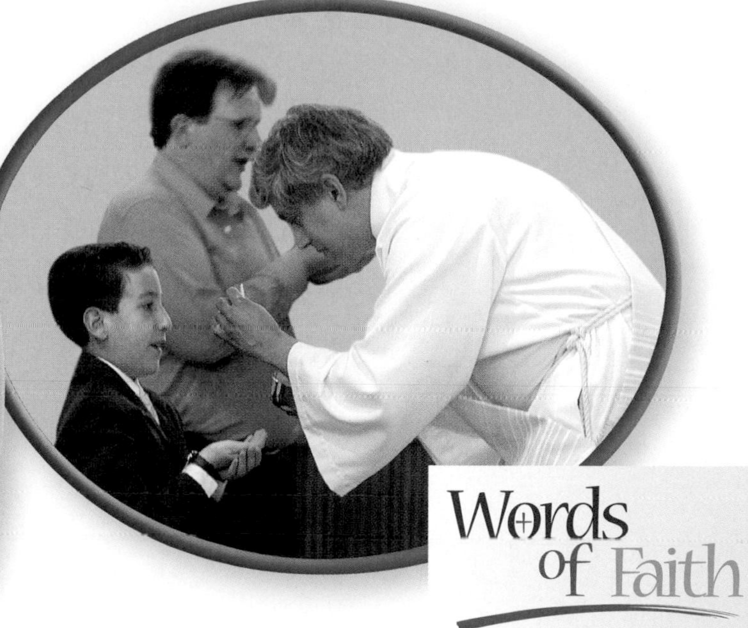

Words of Faith

The **Mass** is the Church's great celebration of God's love.

Activity Share Your Faith

Word Scramble Look at the first two letters of each scrambled word. Put them after the other letters to make a word that tells about the Mass. Write the word.

ngsi sing

seprai praise

ssMa Mass

ksthan thanks

onCommuni Communion

La Eucaristía

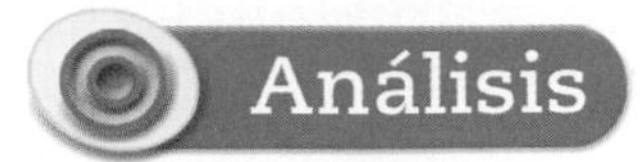

¿Quién está presente en el pan y el vino sagrados?

En la Misa, la Iglesia recuerda una noche importante en que Jesús compartió una comida especial con sus seguidores. Esta comida se conoce como la Última Cena.

LA SAGRADA ESCRITURA — I Corintios 11, 23–25

La Última Cena

La noche anterior a su muerte, Jesús compartió una comida especial con sus amigos.

Tomó el pan, dio gracias, lo partió y dijo: "Esto es mi cuerpo, que es entregado por ustedes; hagan esto en memoria mía".

Jesús tomó la copa y dijo: "Esta copa es la Nueva Alianza en mi sangre. Todas las veces que la beban háganlo en memoria mía".

Tomado de I Corintios 11, 23–25

¿Cuándo oyes estas palabras en la Misa?

The Eucharist

Focus **Who is present in the holy Bread and Wine?**

At Mass, the Church remembers an important night with Jesus. He shared a special meal with his followers. This meal is called the Last Supper.

SCRIPTURE **I Corinthians 11:23–25**

The Last Supper

On the night before he died, Jesus shared a special meal with his friends.

He took the bread, he gave thanks and broke it, and said, "This is my body that is for you. Do this in remembrance of me."

Jesus took the cup and said, "This cup is the new covenant in my blood. Do this as often as you drink it, in remembrance of me."

From I Corinthians 11:23–25

When do you hear these words at Mass?

Acción de gracias

En la Misa celebras el sacramento de la **Eucaristía**. La palabra Eucaristía significa "acción de gracias". Los católicos están agradecidos de que Jesús esté presente en el pan y el vino.

Palabras de fe

La **Eucaristía** es el sacramento en el cual Jesús se da a a sí mismo por medio del pan y vino sagrados.

Actividad Practica tu fe

Recuérdenme Mira el dibujo de esta página. Habla acerca de lo que está sucediendo en él.

Thanksgiving

At Mass you celebrate the Sacrament of the **Eucharist**. The word Eucharist means thanksgiving. Catholics are thankful that Jesus is present in the holy Bread and Wine.

Words of Faith

The **Eucharist** is the Sacrament in which Jesus shares himself in the holy Bread and Wine.

Activity — Connect Your Faith

Remember Me Look at the picture on this page. Talk about what is happening in the picture.

Una oración de alabanza

Reúnanse y comiencen con la señal de la cruz.

Líder: Dios, Padre nuestro, te damos gracias por todas las cosas maravillosas que has hecho.

Todos: Tú nos amas y haces grandes cosas por nosotros.

Líder: Te damos gracias por la felicidad que nos has dado.

Todos: Te alabamos por la luz que ilumina nuestra vida.

Canten juntos.

Proclamaré sin cesar la misericordia del Señor.

Prayer of Praise

Gather and begin with the Sign of the Cross.

Leader: God our Father, we thank you for all the wonderful things you have done.

All: **You love us and do great things for us.**

Leader: We thank you for the happiness you have given us.

All: **We praise you for daylight which lights up our lives.**

Sing together.

For ever I will sing the goodness of the Lord.

Repasar y aplicar

Trabaja con palabras Completa cada enunciado de la columna 1 escribiendo la letra de la palabra de la columna 2 que le corresponda.

Columna 1	Columna 2
1. Jesús compartió la _______ con sus seguidores antes morir.	a. Eucaristía
2. _______ se transforman en el Cuerpo y la Sangre de Cristo.	b. Última Cena
3. La _______ es la celebración de alabanza y agradecimiento más importante de la Iglesia.	c. Biblia
4. Jesús se da a sí mismo en el sacramento de la _______.	d. El pan y el vino
5. En la Misa oyes relatos de la _______.	e. Misa

Actividad Vive tu fe

Dar gracias Nombra o dibuja algo por lo que estés agradecido.

____

____

Review and Apply

Work with Words Complete each sentence in Column I by writing the letter of the correct word from Column 2.

Column I	Column 2
1. Jesus shared the _B._ with his followers the night before he died.	a. Eucharist
2. The _d._ become the Body and Blood of Christ.	b. Last Supper
3. The _e_ is the Church's greatest celebration of praise and thanks.	c. Bible
4. Jesus shares himself in the Sacrament of the _a._.	d. bread and wine
5. You hear stories from the _c._ at Mass.	e. Mass

Activity Live Your Faith

Give Thanks Name or draw one thing that you are thankful for.

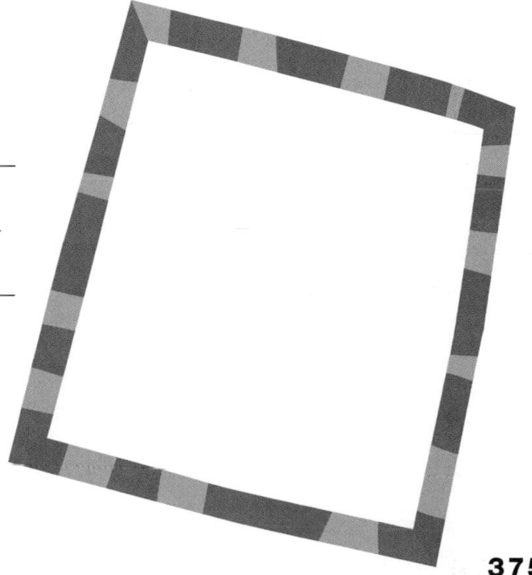

La fe en familia

Lo que creemos

- En la Misa, la familia de la Iglesia celebra el amor de Dios.
- Jesús se nos entrega en la Eucaristía.

LA SAGRADA ESCRITURA

Lee otras descripciones de la Última Cena en Marcos 14, 22–26 y Lucas 22, 14–20.

APRENDE en línea Visita **www.osvcurriculum.com** para encontrar recursos basados en el año litúrgico y lecturas semanales de la Sagrada Escritura.

Actividad

Vive tu fe

Vive las enseñanzas de la Misa

Hagan de la Misa del domingo un momento especial para su familia. A continuación hay algunas sugerencias.

- Practiquen las respuestas que se dan durante la Misa.
- Hablen sobre las lecturas de la Sagrada Escritura con anterioridad.
- Después de la Misa, hablen sobre el tema principal de la homilía.
- Planeen formas de amar y servir al Señor durante toda la semana.

▲ Santa Ángela de Mérici, 1474–1540

Siervos de la fe

La **hermana Ángela** vivía en Italia. Enseñaba a niñas pequeñas. En esa época, sólo los niños ricos podían ir a la escuela. La hermana Ángela cambió esa situación. Ella y sus amigas empezaron a enseñar a las niñas pobres. Quería que las niñas fueran buenas madres que enseñaran a sus hijos acerca de Dios. Muchas de esas niñas eligieron en cambio unirse a la comunidad de religiosas de Ángela. El día de Santa Ángela se celebra el 27 de enero.

Una oración en familia

Santa Ángela, ruega por nosotros para que podamos mostrar nuestro amor a Dios como tú lo hiciste. Amén.

 CIC Consulta el Catecismo de la Iglesia Católica, números 1322 a 1327, para obtener más información sobre el contenido del capítulo.

CHAPTER 19

Family Faith

Catholics Believe

- At Mass the Church family celebrates God's love.
- Jesus gives himself to us in the Eucharist.

SCRIPTURE

Read other descriptions of the Last Supper in Mark 14:22–26 and Luke 22:14–20.

GO online **www.osvcurriculum.com**
For weekly Scripture readings and seasonal resources

Activity

Live Your Faith

Live the Mass Make Sunday Mass a special time for your family. Here are some ways.

- Practice the Mass responses.
- Discuss the Scripture readings ahead of time.
- After Mass, talk about the main point of the homily.
- Plan ways to love and serve the Lord all week long.

People of Faith

▲ Saint Angela Merici, 1474–1540

Sister Angela lived in Italy. She taught little girls. At that time, only rich children could go to school. Sister Angela changed that. She and her friends began teaching girls who were poor. Sister Angela wanted the girls to be good mothers who told their children about God. Many of the girls chose instead to join Angela's community of religious women. Saint Angela's feast day is January 27.

Family Prayer

Saint Angela, pray for us that we may show our love of God as you did. Amen.

In Unit 7 your child is learning about the KINGDOM OF GOD.

CCC *See Catechism of the Catholic Church 1322–1327 for further reading on chapter content.*

Capítulo 20

Vida junto a Dios

Líder: Dios amoroso, queremos conocer tu amor.

"La bondad del Señor espero ver
en la tierra de los vivientes".

Salmo 27, 13

Todos: Dios amoroso, queremos conocer tu amor.
Amén.

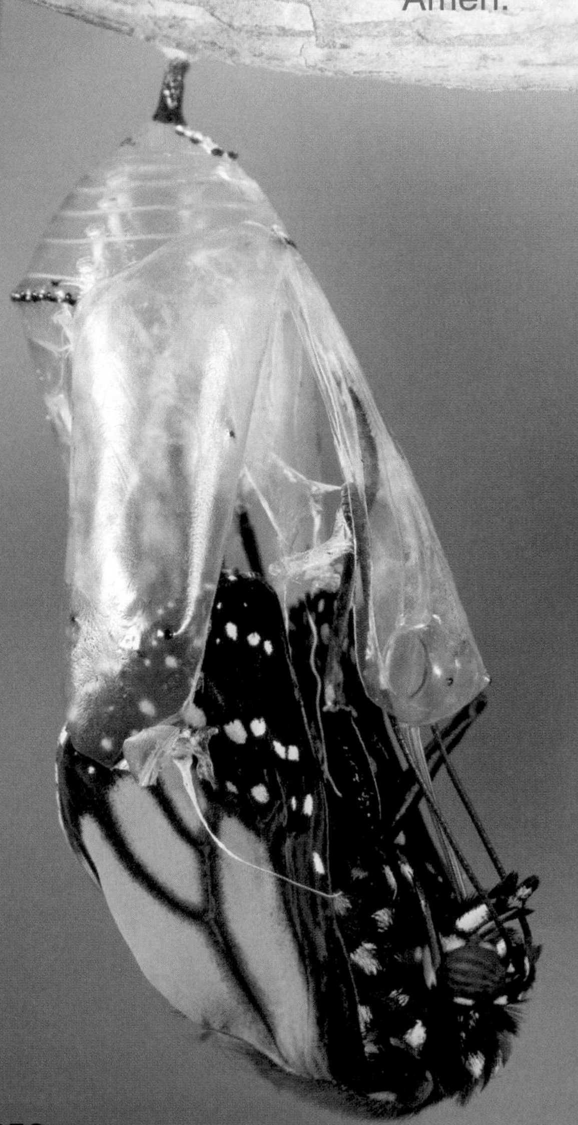

Actividad Comencemos

Los ciclos de vida Dios vive para siempre. Toda otra vida tiene principio y final. Las orugas se transforman en mariposas. Viven y luego mueren. Las semillas se vuelven plantas. Crecen y luego mueren. Estos cambios se llaman ciclos de vida.

- ¿Qué más cambia durante el año?

Chapter 20

Life with God

Let Us Pray

Leader: Loving God, we want to know your love.
"I believe I shall enjoy the LORD's goodness
in the land of the living."

Psalm 27:13

All: Loving God, we want to know your love. Amen.

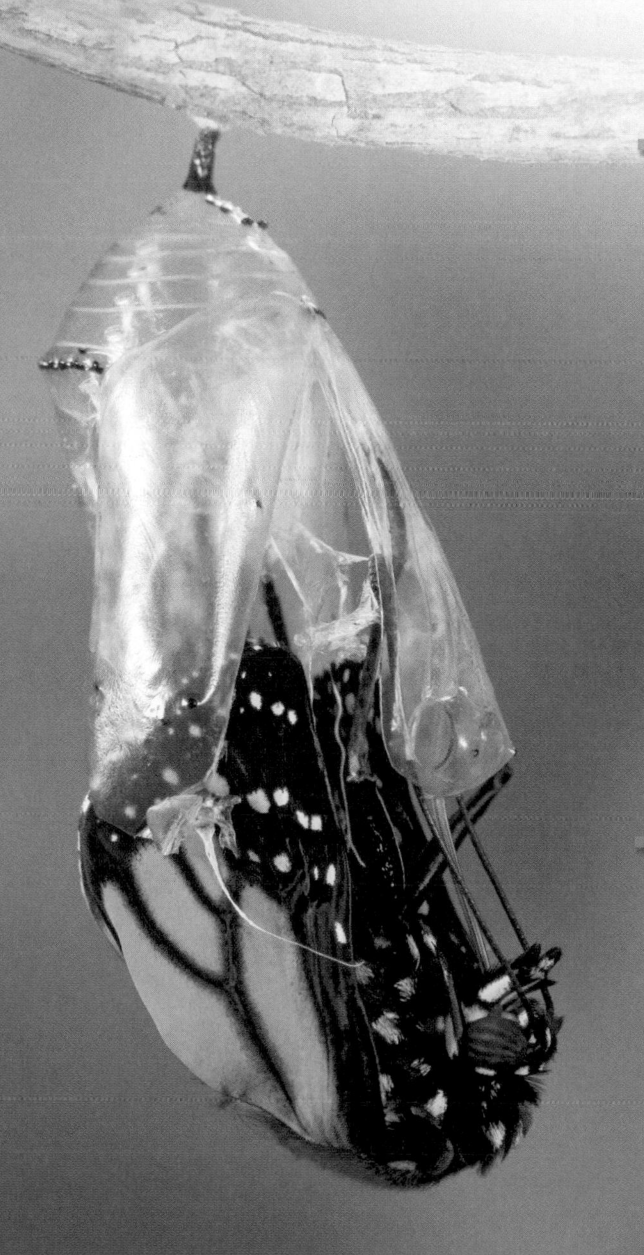

Activity Let's Begin

Life Cycles God lives forever. All other life has a beginning and an ending. Caterpillars become butterflies. They live, and then they die. Seeds become plants. They grow, and then they die. These changes are called life cycles.

- What else changes during the year?

Nueva vida

¿Qué es el cielo?

Las personas también tienen ciclos de vida. Las personas nacen, viven y luego mueren. Pero las personas son diferentes de una manera especial.

Escucha la promesa que Jesús hizo sobre la vida después de la muerte.

LA SAGRADA ESCRITURA Juan 14, 1–3

Juntos para siempre

Jesús dijo a sus seguidores que iba a morir.

Dijo: "No se preocupen. Tengan fe en Dios y tengan fe en mí. La casa de mi Padre tiene muchas habitaciones. Voy delante de ustedes para prepararles un lugar. Volveré. Cuando llegue el momento, llevaré a cada uno de ustedes a la casa de mi Padre. Estaremos juntos para siempre".

Basado en Juan 14, 1–3

¿Cómo crees que es la casa de Dios?

New Life

Focus **What is heaven?**

People have life cycles, too. People are born, they live, and then they die. But people are different in a special way.

Listen to the promise Jesus made about life after death.

SCRIPTURE **John 14:1–3**

Read to Me

Together Always

Jesus told his followers that he was going to die.

He said, "Don't worry. Have faith in God, and have faith in me. There are many rooms in my Father's house. I am going ahead of you to get a place ready for you. I will come back. When it is time, I will take each of you home to my Father's house. We will be together always."

Based on John 14:1–3

What do you think God's house is like?

Felicidad por siempre

Jesús dijo que volvería para llevar a sus seguidores a la casa de su Padre. Jesús dijo que tendrían felicidad que nunca terminaría. Después de la muerte, los seguidores de Jesús pueden tener nueva vida junto a Dios. Pueden estar llenos de felicidad. El **cielo** es tener vida y felicidad junto a Dios por siempre.

¿Cuál es la promesa que hizo Jesús a sus seguidores?

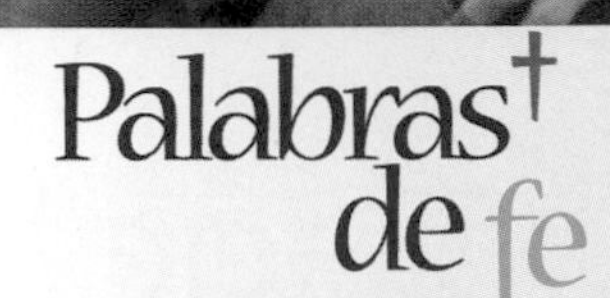

Palabras de fe

El **cielo** es tener vida y felicidad junto a Dios por siempre.

Actividad Comparte tu fe

Piensa: Piensa en cómo crees que te sentirías en el cielo junto a Dios.

Comunica: En un grupo pequeño, hablen de las cosas que podrían dibujar para mostrar cómo son felices aquí en la tierra y cómo serán felices en el cielo.

Actúa: Usen esas ideas para hacer dos dibujos. Muéstrenlos a la clase. Digan en qué se parecen y en qué se diferencian.

Happiness Forever

Jesus said that he will come back to bring his followers to his Father's house. Jesus said they will have joy that will never end. After death, Jesus' followers can have new life with God. They can be full of happiness. **Heaven** is living and being happy with God forever.

What is Jesus' promise to his followers?

Heaven is living and being happy with God forever.

Activity: Share Your Faith

Think: Think about how you might feel with God in heaven.

Share: In a small group, talk about things you might draw to show how you are happy here on earth and how you will be happy in heaven.

Act: Use your ideas to draw two pictures. Share your pictures with the class. Tell how they are alike and different.

Amor y felicidad

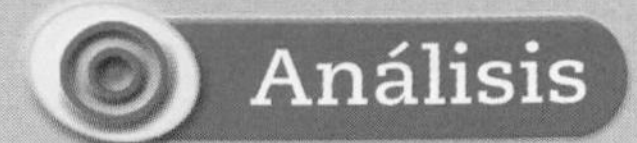

¿Qué tienes que hacer para ser feliz junto a Dios por siempre?

La Santísima Trinidad vive en amor por siempre. Todas las personas santas que han muerto viven en amor y felicidad por siempre junto a la Santísima Trinidad.

Love and Happiness

Focus **What do you need to do to be happy with God forever?**

The Holy Trinity lives in love forever. All holy people who have died are living in love and happiness forever with the Holy Trinity.

El camino al cielo

Dios quiere que todos sean felices por siempre, aun después de morir. Todos están invitados. Todos los que siguen a Jesús y cumplen las leyes de Dios estarán en el cielo junto a Dios por siempre.

Actividad Practica tu fe

Mostrar amor En la Biblia Jesús dice cómo mostrar amor. Pon una marca junto a las acciones que muestren amor.

_______ Contestar mal a tu mamá o tu papá.

_______ Ayudar a alguien que esté triste.

_______ Orar todos los días.

_______ Insultar a alguien.

_______ Obedecer la ley de Dios.

_______ Perdonar a alguien.

The Way to Heaven

God wants everyone to be happy forever, even after they die. Everyone is invited. Everyone who follows Jesus and God's laws will be in heaven with God forever.

Activity: Connect Your Faith

Showing Love In the Bible Jesus tells how to show love. Write a check mark next to the actions that show love.

_______ Help someone who is sad.

_______ Pray every day.

_______ Call someone a bad name.

_______ Follow God's laws.

_______ Talk back to your mom or dad.

_______ Forgive someone.

Rezar por los muertos

Reúnanse y comiencen con la señal de la cruz.

Líder: Los que han muerto como amigos de Dios forman parte de nuestra familia de la Iglesia. Nosotros oramos por ellos. Les pedimos que ellos también oren por nosotros.

Lado 1: Acuérdate también de los que ya murieron

Lado 2: y recíbelos con amor en tu casa.

Lado 1: Y un día reúnenos cerca de ti

Lado 2: con María la Virgen, Madre de Dios y Madre nuestra, para celebrar en tu Reino la gran fiesta del cielo.

Todos: Entonces, todos los amigos de Jesús, nuestro Señor, podremos cantarte sin fin.

De la Plegaria Eucarística para las misas con niños II.

Canten juntos el estribillo.

¡Grita de gozo, gozo, gozo!
¡Grita de gozo, gozo, gozo!
¡Dios es luz, es amor,
Dios es eterno!

Pray for the Dead

Gather and begin with the Sign of the Cross.

Leader: Those who have died as friends of God are part of our Church family. We pray for them. We ask them to pray for us, too.

Side 1: Lord, our God, we remember those who have died.

Side 2: Bring them home to be with you forever.

Side 1: Gather us all together into your kingdom.

Side 2: There we will be happy forever with the Virgin Mary, Mother of God and our mother.

All: **There all the friends of the Lord Jesus will sing a song of joy.**

From the Eucharistic Prayer 2 for Children

Sing together the refrain.

Shout for joy, joy, joy!
Shout for joy, joy, joy!
God is love, God is light,
God is everlasting!

Repasar y aplicar

Trabaja con palabras Escribe la palabra del vocabulario que complete correctamente cada enunciado.

VOCABULARIO

sigues
vida
cielo
Trinidad
felices

1. Dios quiere que todos sean ________.
2. Jesús dijo que después de la muerte tendrías ________ nueva ________.
3. Puedes ser feliz junto a Dios cuando ________ a Jesús.
4. Puedes ser feliz junto a Dios en el ________ por siempre.
5. La Santísima ________ vive en amor por siempre.

Actividad Vive tu fe

Aquí en la tierra puedes ser feliz ayudando a los demás.

1. Dibújate en el espacio de al lado con un rostro feliz.
2. Escribe una cosa buena que harás para alegrar a alguien.

CHAPTER 20

Review and Apply

Work with Words Write the correct word from the Word Bank to complete each sentence.

WORD BANK

follow
life
heaven
Trinity
happy

1. God wants everyone to be ______________.
2. Jesus said that after death you would have new ______________.
3. You can be happy with God when you ______________ Jesus.
4. You can be happy with God forever in ______________.
5. The Holy ______________ lives in love forever.

Activity Live Your Faith

Here on earth, you can be happy by helping others.

1. Draw yourself with a happy face in the space.
2. Write a good thing you will do to make someone happy.

CAPÍTULO 20

La fe en familia

Lo que creemos

- El cielo es tener felicidad junto a Dios por siempre.
- Dios invita al cielo a todas las personas. Irán al cielo todos los que sigan a Jesús y obedezcan las leyes de Dios.

LA SAGRADA ESCRITURA

1 Corintios 15, 50–58 trata de lo que dijo san Pablo sobre los que creen en Jesús.

Visita **www.osvcurriculum.com** para encontrar recursos basados en el año litúrgico y lecturas semanales de la Sagrada Escritura.

Actividad

Vive tu fe

Compartan la felicidad Hagan juntos un calendario de la felicidad. Elijan un día de cada semana para hacer feliz a un vecino, a un amigo o a un familiar anciano. Pueden ayudar en el jardín, llevar víveres o invitar a esa persona a cenar.

▲ **Santa Emilia de Vialar, 1797–1856**

Siervos de la fe

Emilia nació en Francia. Su madre murió cuando tenía quince años, por lo que Emilia se hizo cargo de la casa de su padre. Dedicó su vida a la oración y después de heredar algún dinero, decidió, junto con otras tres jóvenes, dedicarse a cuidar de niños enfermos y pobres. Emilia fundó la misión de las Hermanas de San José de la Aparición para ayudar a los enfermos en sus casas, en hospitales y en prisiones. Su día se celebra el 17 de junio.

Una oración en familia

Santa Emilia, ruega por nosotros para que podamos ser seguidores de Jesús que se preocupan por los pobres y los enfermos. Amén.

CIC *Consulta el Catecismo de la Iglesia Católica, números 1023 a 1025, para obtener más información sobre el contenido del capítulo.*

CHAPTER 20

Family Faith

Catholics Believe

- Heaven is being happy with God forever.
- God invites all people to heaven. All who follow Jesus and obey God's laws will go to heaven.

SCRIPTURE

I Corinthians 15:50–58 tells what St. Paul said about those who believe in Jesus.

GO online **www.osvcurriculum.com**
For weekly Scripture readings and seasonal resources

Activity

Live Your Faith

Share Happiness Together create a happiness calendar. Choose one day each week to make a neighbor, friend, or elderly family member happy. You can help in the yard, pick up groceries, or invite the person to dinner.

▲ Saint Emily de Vialar, 1797–1856

People of Faith

Emily was born in France. When she was fifteen, her mother died. She took care of her father's house. She devoted her life to prayer. After inheriting some money, Emily and three other young women cared for children who were sick and poor. She founded the Sisters of Saint Joseph of the Apparition to help the sick at home, in hospitals, and in prisons. Her feast day is June 17.

Family Prayer

Saint Emily, pray for us that we may be followers of Jesus who care for those who are poor and sick. Amen.

In Unit 7 your child is learning about the KINGDOM OF GOD.

CCC *See Catechism of the Catholic Church 1023–1025 for further reading on chapter content.*

Capítulo 21 El Reino de Dios

Líder: Dios, guíanos cuando trabajemos por tu Reino.

"Él es el Señor, es nuestro Dios,
sus decisiones tocan a toda la tierra".

Salmo 105, 7

Todos: Dios, guíanos cuando trabajemos por tu Reino. Amén.

Actividad Comencemos

Muestras de felicidad Hay muchas cosas que te hacen feliz y hay muchas maneras de mostrar que lo eres.

Formen un círculo y canten la canción "Si eres feliz y lo sabes". Todos los que estén en el círculo pueden turnarse para hacer algo que muestre felicidad.

- ¿Qué puedes hacer para ayudar a los demás a que sean felices?

God's Kingdom

Leader: God, guide us in working for your kingdom.
"The LORD is our God
who rules the whole earth."

Psalm 105:7

All: God, guide us in working for your kingdom. Amen.

Let's Begin

Happy Signs There are many things that make you happy. There are many ways to show you are happy.

Stand in a circle. Sing the song "If You're Happy and You Know It." Everyone in the circle can take a turn showing a sign of happiness.

- What can you do to help others be happy?

El Reino de Dios

¿Cómo puedes hacer felices a los demás?

Imagina a las personas mostrando felicidad todos los días. ¡Qué mundo maravilloso sería! Cuando los seguidores de Jesús actúan con paz, justicia y amor, ayudan a que el Reino de Dios crezca.

Imagina que estás encargado de la felicidad del salón de clases. Elige la mejor manera en la que deben actuar los niños.

A algunos niños callados o tímidos no se les elige como pareja de actividades.

Pide amablemente a uno de ellos que sea tu pareja de actividades. Esto es difundir la paz.

God's Kingdom

Focus **How can you make others happy?**

Imagine people showing happiness every single day. What a wonderful world that would be! When followers of Jesus act with peace, justice, and love, they help the kingdom of God grow.

Suppose you are in charge of happiness in the classroom. Choose the best way for the children to act.

Some quiet or shy children don't get picked as partners.
Kindly ask one of them to be a partner. This is spreading peace.

Algunos niños no quieren compartir.

Comparte y da a los demás lo que necesiten. Esto es actuar con justicia.

Cuando el maestro no mira, los niños se burlan de alguien o lo insultan.

Muestra tu afecto por los demás, aun cuando sea difícil. Esto es amor.

Actividad Comparte tu fe

Piensa: ¿De qué manera puedes hacer que reine la felicidad en el patio de juegos?

Comunica: En grupos pequeños hablen de formas en las que puedan llevar paz, justicia y amor a su patio de juegos.

Actúa: Representen diferentes formas de hacer que reine la felicidad en el patio de juegos.

Some children don't want to share.

Share and give others what they need. This is acting with justice.

When the teacher isn't looking, children are teasing and calling names.

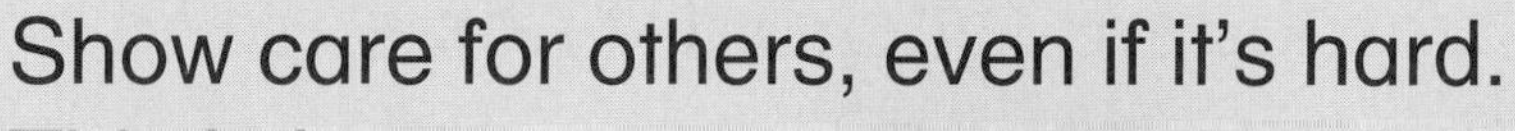

Show care for others, even if it's hard. This is love.

Activity Share Your Faith

Think: How could you make a happy playground?

Share: In small groups discuss ways to bring peace, justice, and love to your playground.

Act: Act out different ways to make a happy playground.

Los trabajadores del Reino

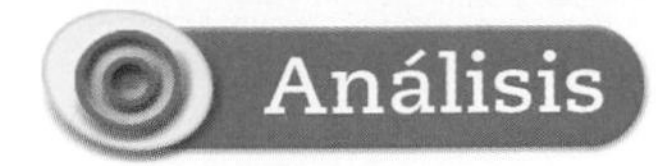

¿Cómo puedes ayudar a que el Reino de Dios crezca?

La Biblia nos dice en que consiste la verdadera felicidad y nos enseña cómo alcanzarla.

Todos los cristianos tratan de brindar más paz, más justicia y más amor al mundo. Cuando lo hacen, ayudan a que el Reino de Dios crezca.

LA SAGRADA ESCRITURA **Romanos 14, 17–19**

La vida cristiana

El Reino de Dios no consiste en comer y beber. El Reino de Dios consiste en vivir con justicia, paz y alegría. Estas cosas vienen del Espíritu Santo. Si sirves a Jesucristo de esta manera, entonces agradas a Dios. La gente te respetará. Hagamos todo lo que podamos para vivir en paz.

Basado en Romanos 14, 17–19

¿Qué has hecho hoy para brindar felicidad a otras personas?

Kingdom Workers

How can you help God's kingdom grow?

The Bible tells us how to have true happiness. The Bible teaches how to do this.

Every Christian tries to bring more peace, justice, and love to the world. When you do this, you help God's kingdom grow.

SCRIPTURE **Romans 14:17–19**

Christian Living

God's kingdom isn't about eating and drinking. God's kingdom is about living in justice, peace, and joy. These things come from the Holy Spirit. If you serve Jesus Christ in this way, then you please God. People will respect you. Let us do all we can to live at peace.

Based on Romans 14:17–19

What have you done today to bring happiness to other people?

Aprender de Jesús

El Reino de Dios en la tierra empezó con Jesús. Lee algunas cosas que Jesús dijo e hizo.

- Jesús perdonó a las personas una y otra vez. Jesús brindó la paz.
- Jesús trató a los demás como a Él le hubiera gustado que lo trataran. Jesús brindó la justicia.
- Jesús alimentó a los hambrientos. Jesús mostró amor.

Actividad Practica tu fe

Haz un carné de socio
Escribe tu nombre en el espacio correspondiente. Cuenta de qué manera puedes ayudar a que el Reino de Dios crezca.

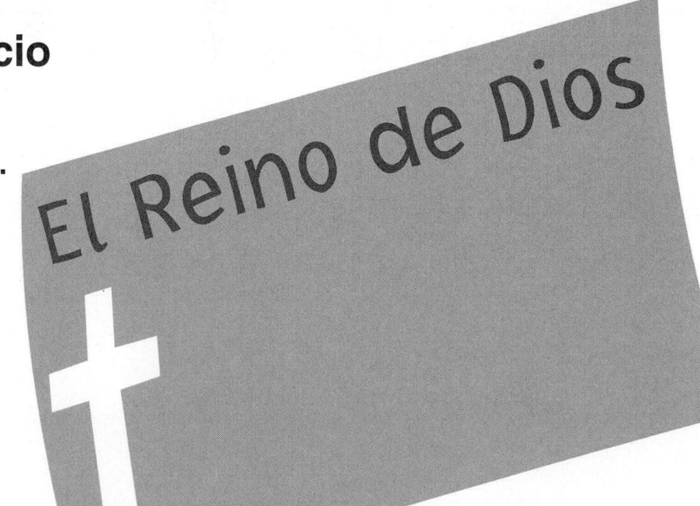

Learn from Jesus

God's kingdom on earth began with Jesus. Read some things Jesus said and did.

- Jesus forgave people over and over again. Jesus brought peace.
- Jesus treated others as he would like to be treated. Jesus brought justice.
- Jesus fed people who were hungry. Jesus showed love.

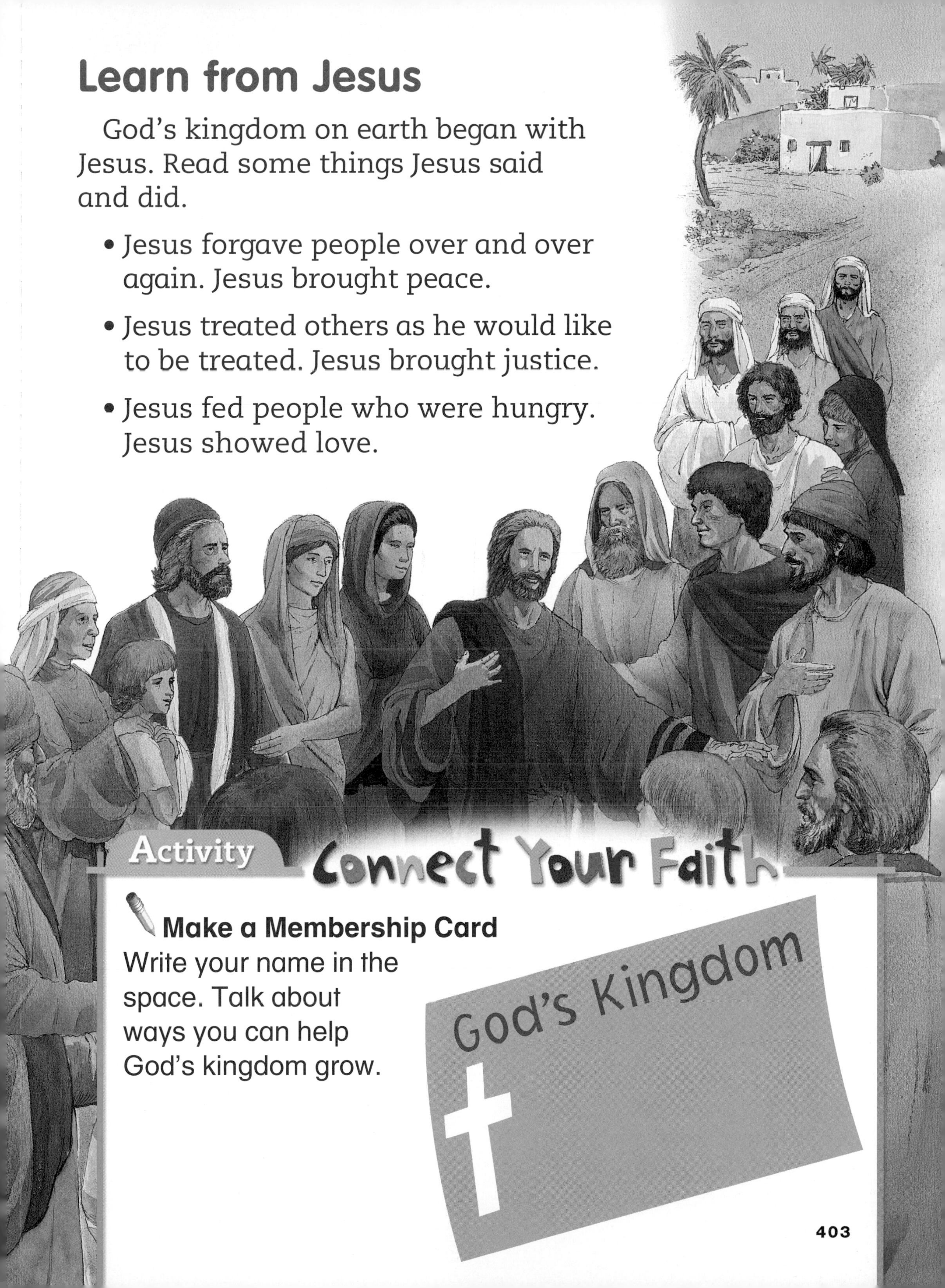

Activity **Connect Your Faith**

Make a Membership Card
Write your name in the space. Talk about ways you can help God's kingdom grow.

Una oración de petición

Reúnanse y comiencen con la señal de la cruz.

Líder: Dios, queremos hacer tu voluntad.

Todos: Ayúdanos a brindar paz.

Líder: Dios Padre, queremos hacer tu voluntad.

Todos: Ayúdanos a brindar justicia.

Líder: Dios Padre, queremos hacer tu voluntad.

Todos: Ayúdanos a brindar amor.

Canten juntos el estribillo.

¡Siembra en su reino de paz,
siembra en su misericordia,
siembra en su justicia,
siembra en la Ciudad de Dios!

Asking Prayer

Gather and begin with the Sign of the Cross.

Leader: God, we want to do your will.

All: **Help us bring peace.**

Leader: God the Father, we want to do your will.

All: **Help us bring justice.**

Leader: God the Father, we want to do your will.

All: **Help us bring love.**

Sing together the refrain.

Bring forth the kingdom of mercy,
Bring forth the kingdom of peace;
Bring forth the kingdom of justice,
Bring forth the City of God!

Repasar y aplicar

Trabaja con palabras Escribe la palabra del vocabulario que complete correctamente cada enunciado.

VOCABULARIO
amor
paz
justicia

1. Cuando resuelves problemas con amabilidad, brindas la ______________________.

2. Cuando das a Dios lo que se merece y das a los demás lo que necesitan, actúas con ______________________.

3. Cuando muestras afecto, aun cuando es difícil, ______________________ das ______________________.

Actividad Vive tu fe

Sigue a Cristo Dibuja algo que hace tu parroquia para trabajar por el Reino.

CHAPTER 21

Review and Apply

Work with Words Write the correct word from the Word Bank to complete each sentence.

WORD BANK

love
peace
justice

1. When you settle problems with kindness, you bring ______________________.

2. When you give God what he deserves and give others what they need, you bring ______________________.

3. When you care, even if it's hard, ______________________ you bring ______________________.

Activity Live Your Faith

Follow Christ Draw one thing your parish does to work for the kingdom.

CAPÍTULO 21

La fe en familia

Lo que creemos

- Los signos del Reino de Dios son la justicia, la paz y el amor.
- Los cristianos trabajan durante toda su vida para ayudar a que el Reino de Dios crezca.

Lee Deuteronomio 16, 18–20 como un recordatorio para actuar con justicia.

Visita **www.osvcurriculum.com** para encontrar recursos basados en el año litúrgico y lecturas semanales de la Sagrada Escritura.

Actividad

Vive tu fe

Trabajen por la justicia Todas las comunidades necesitan la justicia de Dios. Busquen en la parroquia o en el vecindario oportunidades para poder ayudar a los demás, tales como llevar víveres a un banco de alimentos o servir comida a los que no tienen hogar. Como familia, ofrézcanse para ayudar. Hablen acerca de la importancia de ser generosos con su tiempo y su amor.

Siervos de la fe

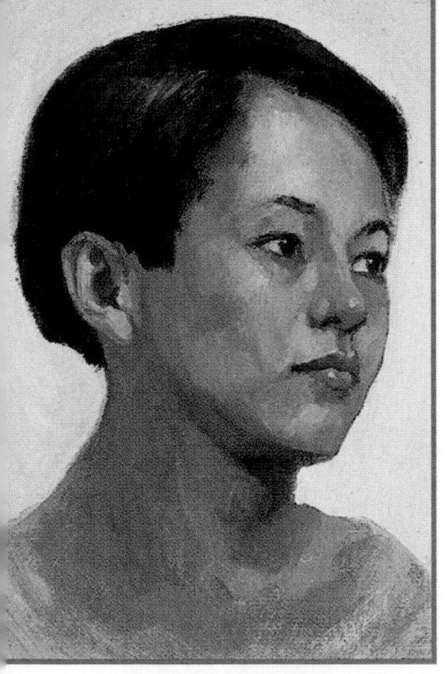

▲ **Beato Pedro Calungsod, 1654–1672**

El **beato Pedro Calungsod** nació en Filipinas. A los catorce años se hizo misionero laico. Durante el tiempo en que trabajó con los misioneros jesuitas, fue pintor, cantor y catequista. Su deseo más grande era difundir el mensaje de amor de Jesús. Murió mientras protegía a un sacerdote de hombres que odiaban el cristianismo. Pedro es el patrón de los niños filipinos. La Iglesia filipina celebra su día el 2 de abril.

Una oración en familia

Querido Dios, ayúdanos a usar nuestros talentos para servirte, y a compartir tu amor con todos los que encontremos en nuestro camino. Amén.

 CIC *Consulta el Catecismo de la Iglesia Católica, números 2816 a 2821, para obtener más información sobre el contenido del capítulo.*

CHAPTER 21

Family Faith

Catholics Believe

- Justice, peace, and love are signs of God's kingdom.
- Christians work here and now to help God's kingdom grow.

SCRIPTURE

Read Deuteronomy 16:18–20 as a reminder to act with justice.

www.osvcurriculum.com
For weekly Scripture readings and seasonal resources

Activity

Live Your Faith

Work for Justice Every community needs God's justice. Look into parish or neighborhood opportunities to find ways you can help others, such as by taking food to a food bank or serving food to the homeless. Volunteer to help as a family. Discuss the importance of being generous with your time and love.

People of Faith

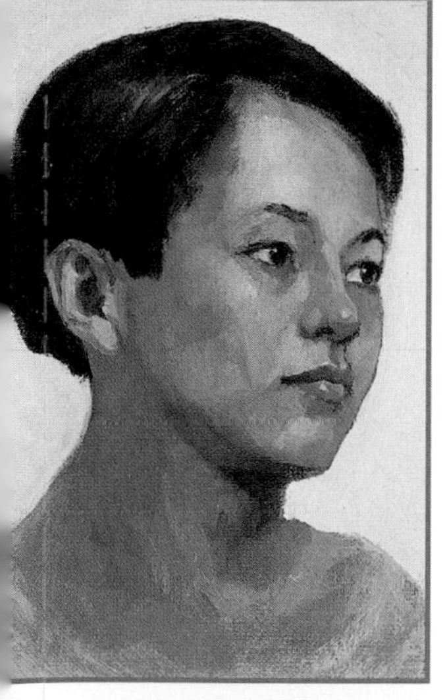

▲ Blessed Pedro Calungsod, 1654–1672

Blessed Pedro Calungsod was born in the Philippines. At fourteen he became a lay missionary. Pedro was a painter, singer, and catechist as he worked with the Jesuit missionaries. His greatest desire was to spread Jesus' message of love. He died while protecting a priest from men who hated Christianity. Pedro is the patron of Filipino children. The Filipino Church celebrates his feast day on April 2.

Family Prayer

Dear God, help us use our talents to serve you. Help us share your love with everyone we meet. Amen.

In Unit 7 your child is learning about the KINGDOM OF GOD.

CCC *See Catechism of the Catholic Church 2816–2821 for further reading on chapter content.*

Repaso de la Unidad 7

VOCABULARIO

cielo
Última Cena
paz
Cristo
todos

Trabaja con palabras Escribe la palabra del vocabulario que complete correctamente cada enunciado.

1. Jesús compartió la ________________ con sus seguidores la noche anterior a su muerte.

2. En la Misa, el pan y el vino se convierten en ________________ el Cuerpo y la Sangre de ________________.

3. El ________________ es tener vida y felicidad junto a Dios por siempre.

4. Dios quiere que ________________ sean felices con Él.

5. Jesús pide a sus seguidores ________________ que brinden la ________________.

Unit 7 Review

Work with Words Write the correct word from the Word Bank to complete each sentence.

WORD BANK

Heaven
Last Supper
peace
Christ
everyone

1. Jesus shared the ______________ with his followers the night before he died.

2. At the Mass, the bread and wine become the ______________ Body and Blood of ______________.

3. ______________ is living and being happy with God forever.

4. God wants ______________ to be happy with him.

5. Jesus asks his followers to act ______________ with ______________.

Recursos católicos

Sagrada Escritura

La Biblia

La **Biblia** es la Palabra de Dios. Otro nombre que se le da a la Biblia es Sagrada Escritura.

La Biblia tiene dos partes. Los cristianos llaman a la primera parte **Antiguo Testamento** y a la segunda **Nuevo Testamento**.

Qué hay en la Biblia

En la Biblia hay muchas clases de relatos. Algunos de los más importantes se encuentran en los **evangelios**, que están en el Nuevo Testamento.

Catholic Source Book

Scripture

The Bible

The **Bible** is the word of God. Another word for the Bible is **Scripture**, which means "writing."

The Bible has two parts. Christians call the first part the **Old Testament.** They call the second part the **New Testament.**

What Is in the Bible

In the Bible there are many kinds of stories. Some of the most important stories are found in the **Gospels** in the New Testament.

Datos de fe

El primer libro de la Biblia empieza con las palabras "En el principio". La última palabra de algunas biblias es "Amén".

Los evangelios

Los evangelios contienen relatos sobre el nacimiento y la vida de Jesús. También contienen relatos especiales que Jesús contó para que las personas comprendieran mejor el amor de Dios. A estos relatos se les llama **parábolas**. Por ejemplo, para enseñarles acerca del gran amor y el perdón de Dios, Jesús contó la parábola del hijo pródigo.

Faith Fact

The first book of the Bible begins with the words, "In the beginning." The last word in some Bibles is "Amen."

The Gospels

The Gospels include stories about Jesus' birth and life. They also include stories Jesus told that are called **parables**. He told these special stories to help people better understand God's love. For example, Jesus told the parable of the Prodigal Son as a way to show God's great love and forgiveness.

La Trinidad

- Dios Padre es el Creador de todas las cosas.
- Jesucristo es el Hijo de Dios y nuestro Salvador.
- Dios Espíritu Santo es el don de amor que Dios hace a la Iglesia.

La **Trinidad** son Dios Padre, Dios Hijo y Dios Espíritu Santo; las tres Personas en un solo Dios.

Cuando haces la señal de la cruz y dices “En el nombre del Padre, y del Hijo y del Espíritu Santo”, estás diciendo que crees en la Trinidad.

Creed

The Trinity

- God the Father is the Creator of all things.
- Jesus Christ is the Son of God and our Savior.
- God the Holy Spirit is God's gift of love to the Church.

The **Trinity** is God the Father, God the Son, and God the Holy Spirit—Three Persons in one God.

When you make the Sign of the Cross and say, "In the name of the Father, and of the Son, and of the Holy Spirit," you are telling your belief in the Trinity.

La Iglesia

La **Iglesia** es la comunidad del pueblo de Dios. La Iglesia se reúne para rendir culto y alabanza a Dios, especialmente en la celebración de la Misa.

Todos los miembros de la Iglesia han recibido el **Bautismo** y han sido bienvenidos a la familia de Dios. Los cristianos tienen la **misión** de comunicar a los demás el mensaje de amor de Dios.

Para llevar a cabo esta misión, reciben el don del **Espíritu Santo**. Los seguidores de Jesús recibieron al Espíritu Santo en Pentecostés. El Pentecostés es el cumpleaños de la Iglesia.

El Espíritu Santo dio a cada uno de los discípulos el valor necesario para difundir la Buena Nueva de Jesús. El Espíritu Santo también te fortalece.

The Church

The **Church** is the community of the People of God. The Church gathers to worship and praise God, especially at the celebration of the Mass.

Each member of the Church has been **baptized** and welcomed into God's family. Christians have a **mission** to share God's message of love with others.

In order to carry out this mission, Christians receive the gift of the **Holy Spirit**. Jesus' followers received the Holy Spirit at Pentecost. Pentecost is the birthday of the Church.

The Holy Spirit gave each of the disciples the courage to spread the good news of Jesus to other people. The Holy Spirit also makes you strong.

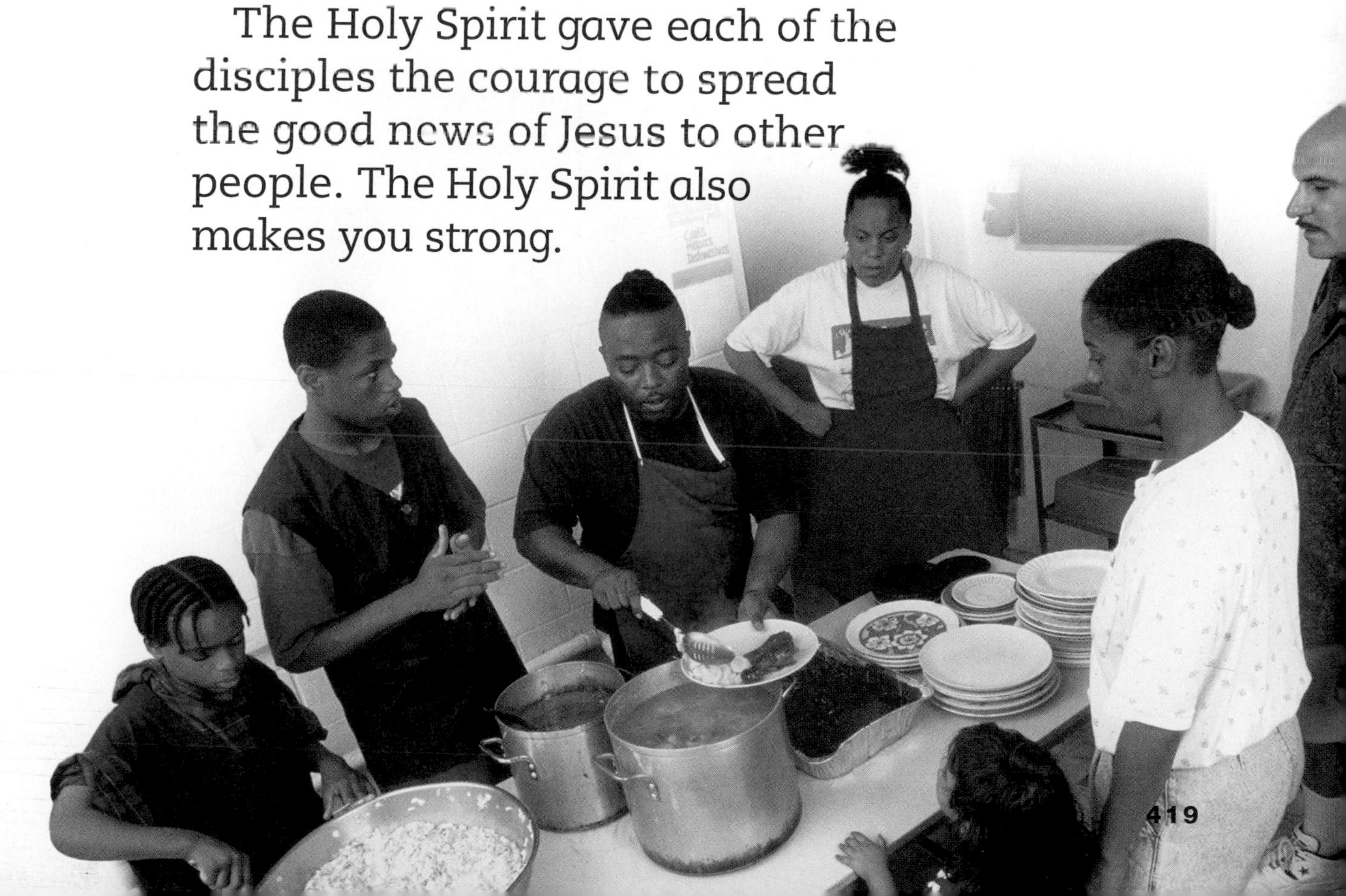

Credo

María, la Madre de Dios

María es la Madre de Dios. Es también la Madre de la Iglesia. María es una santa muy especial. Durante su vida siempre dijo "sí" a lo que Dios le pidió.

María ruega por nosotros

En la Anunciación, el ángel Gabriel fue a ver a María para decirle que ella daría a luz al Salvador, y que debía llamarlo Jesús. Como María dijo que "sí", todas las personas hemos sido salvadas del poder del pecado y de la muerte eterna.

Mary, the Mother of God

Mary is the Mother of God. She is also Mother of the Church. Mary is a very special saint. All her life, Mary said "yes" to the things God asked of her.

Mary Prays for Us

At the Annunciation the angel Gabriel came to Mary to tell her she was going to give birth to the Savior, whom she should call Jesus. Because Mary said "yes," all people have been saved from the power of sin and everlasting death.

María es un buen modelo de conducta para la Iglesia. Con frecuencia, las personas que forman el pueblo de Dios piden a María que ruegue por ellas, para que tengan el valor de decir "sí" a Dios, especialmente cuando sea difícil.

La Iglesia honra a María de muchas maneras. Se rezan oraciones especiales, como el **rosario**. Se celebran días festivos, como el de **Nuestra Señora de Guadalupe**. Estas oraciones y estas fiestas recuerdan a la gente que María estaba dispuesta a servir a Dios.

Mary is a good role model for the Church. The People of God often ask Mary to pray for them so that they have the courage to say “yes” to God, especially when it is difficult.

The Church honors Mary in many special ways. Special prayers, such as the **Rosary,** are said. Feast days, such as **Our Lady of Guadalupe,** are celebrated. These prayers and feasts remind people that Mary was willing to serve God.

Credo

La Sagrada Familia

La Iglesia también honra a la **Sagrada Familia**. María, José y Jesús vivieron juntos como una familia. Hicieron muchas cosas juntos. Viajaron y se cuidaron mutuamente. La Sagrada Familia es un buen modelo de conducta para las familias de hoy.

The Holy Family

The Church also honors the **Holy Family**. Mary, Joseph, and Jesus lived together as a family. They did many things together. They traveled together and helped to take care of one another. The Holy Family is a good role model for families today.

Credo

El Reino de Dios

Cuando Jesús hablaba de la presencia de Dios en el mundo, a veces usaba la frase **Reino de Dios**. Los seguidores de Jesús también pueden difundir la Buena Nueva con sus acciones y palabras bondadosas. Los miembros de la Iglesia están llamados a compartir el amor de Dios con los demás.

God's Kingdom

Jesus sometimes used the phrase the **kingdom of God** when he talked about God's presence in the world. Followers of Jesus can also spread the good news with their kind actions and words. Members of the Church are called to share God's love with others.

Los sacramentos

Bautismo

El Bautismo te une a Dios en una estrecha relación de amor. Te conviertes en miembro de la Iglesia.

Confirmación

La Confirmación celebra la ayuda del Espíritu Santo.

Eucaristía

Jesús se comparte a sí mismo en la Eucaristía.

The Sacraments

Baptism

Baptism joins you to God in a loving closeness. You become a member of the Church.

Confirmation

Confirmation celebrates the help of the Holy Spirit.

Eucharist

Jesus shares himself in the Eucharist.

Reconciliación

Tú dices que te arrepientes. Dios te perdona en la Reconciliación.

Unción de los enfermos

En la Unción de los enfermos, un sacerdote bendice con óleo bendito a los que están muy enfermos. Dios da consuelo y paz.

Matrimonio

En el Matrimonio, Dios bendice el amor matrimonial. El amor matrimonial es el corazón de la familia.

Orden

En el Orden, Dios bendice a los líderes que sirven a la Iglesia.

Reconciliation

You say you are sorry. God forgives you in Reconciliation.

Anointing of the Sick

In the Anointing of the Sick, a priest blesses the very sick with holy oil. God gives comfort and peace.

Marriage

In Marriage God blesses married love. Married love is the heart of a family.

Holy Orders

In Holy Orders God blesses leaders who serve the Church.

Liturgia

Objetos especiales de la Iglesia

Altar

El **altar** es la mesa donde se celebra la Misa.

Sagrario o tabernáculo

El **sagrario** es una caja muy especial donde se guarda el Cuerpo de Cristo, el Santísimo Sacramento.

Special Things in Church

Altar

The **altar** is the table that is used to celebrate the Mass.

Tabernacle

The **tabernacle** is a very special box where the Body of Christ, the Blessed Sacrament, is kept.

Vestiduras

El sacerdote usa ropas especiales llamadas **vestiduras**. Algunas de las vestiduras son de colores diferentes, según el tiempo del año litúrgico. El sacerdote usa ropa especial porque en la Misa él representa a Jesús.

Datos de fe

Un par de veces durante la Misa se oye el repique de campanas. Esto es un recordatorio de que está por llevarse a cabo una parte muy importante de la Misa.

Vestments

The priest wears special clothing called **vestments**. Some of the vestments that he wears are different colors for the different seasons of the Church year. The priest wears special clothing because he represents Jesus at Mass.

Faith Fact

You might hear the ringing of bells a couple of times during Mass. This is a reminder that a very important part of the Mass is about to take place.

Crucifijo

Un **crucifijo** es una imagen de Jesús en la cruz. Generalmente hay un crucifijo colgado en alguna parte cerca del altar, o se lleva en procesión cuando empieza la Misa.

Agua bendita

Cuando entras a la iglesia, te mojas la mano con el **agua bendita** de la pila bautismal o de la pila de agua bendita, y haces la señal de la cruz como un recordatorio de tu Bautismo.

Crucifix

A **crucifix** is an image of Jesus on the cross. A crucifix is usually hung somewhere near the altar or is carried in procession as Mass begins.

Holy Water

As you enter the church, you dip your hand in **holy water** from the baptismal font or holy water font and make the Sign of the Cross to remind you of your Baptism.

Velas

Las **velas** iluminan la oscuridad. Son un signo de la presencia de Dios.

Datos de fe

Algunas iglesias tienen velas especiales llamadas luces de vigilia. Generalmente son de color azul, rojo o ámbar. Estas velas se encienden cuando la gente pide oraciones especiales.

Cirio pascual

En la Pascua se enciende el **cirio pascual** para que la Iglesia recuerde que Jesús es la luz del mundo. Este cirio es una vela muy grande con la cual se encienden muchas otras velas bautismales.

Candles

Candles light the darkness. They are a sign of the presence of God.

Faith Fact

Some churches have special candles called vigil lights. They are usually blue, red, or amber. These candles are lit when people ask for special prayers.

Paschal Candle

At Easter, the **Paschal candle** is lit to remind the Church that Jesus is the light of the world. This candle is a very large candle from which many other baptismal candles are lit.

Liturgia

La Misa

La Misa tiene cuatro partes.

❶ El **rito inicial**

- La Misa empieza con una procesión del sacerdote, el diácono y los monaguillos.
- La Iglesia pide a Dios su misericordia con la oración: "Señor, ten piedad. Cristo, ten piedad. Señor, ten piedad".
- Después de eso viene un canto de gloria y alabanza.

Datos de fe

La familia de Dios participa en la Misa de varias maneras: como monaguillos, portadores de la cruz, cantores, lectores y ministros de la comunión. Posiblemente un día elijas ser una de estas personas.

The Mass

There are four parts to the Mass.

❶ The **Introductory Rites**

- A procession by the priest, deacon, and servers begins the Mass.
- The Church asks for God's mercy with the prayer: Lord, have mercy. Christ, have mercy. Lord, have mercy.
- A song of glory and praise comes after that.

Faith Fact

God's family participates in the Mass in various ways: as servers, cross bearers, singers, readers, and extraordinary ministers of Holy communion. Someday you can choose to be one of these people.

Liturgia

❷ La **Liturgia de la Palabra** es la primera parte especial de la Misa.

- La comunidad escucha una lectura del Antiguo Testamento y otra del Nuevo Testamento.
- El sacerdote o el diácono lee el Evangelio y da una homilía.

Jesús está presente durante la Misa. Cristo está presente en:

- la comunidad reunida.
- la Palabra de Dios.

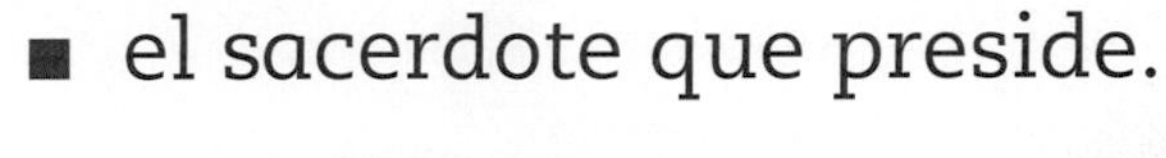

- el sacerdote que preside.
- su Cuerpo y su Sangre.

❷ The **Liturgy of the Word** is the first main part of the Mass.

- The community listens to a reading from the Old Testament and one from the New Testament.
- The priest or deacon reads the Gospel and gives a homily.

During Mass Jesus is present. Christ is present in

- the assembled community.
- the word of God.
- the presiding priest.
- his Body and Blood.

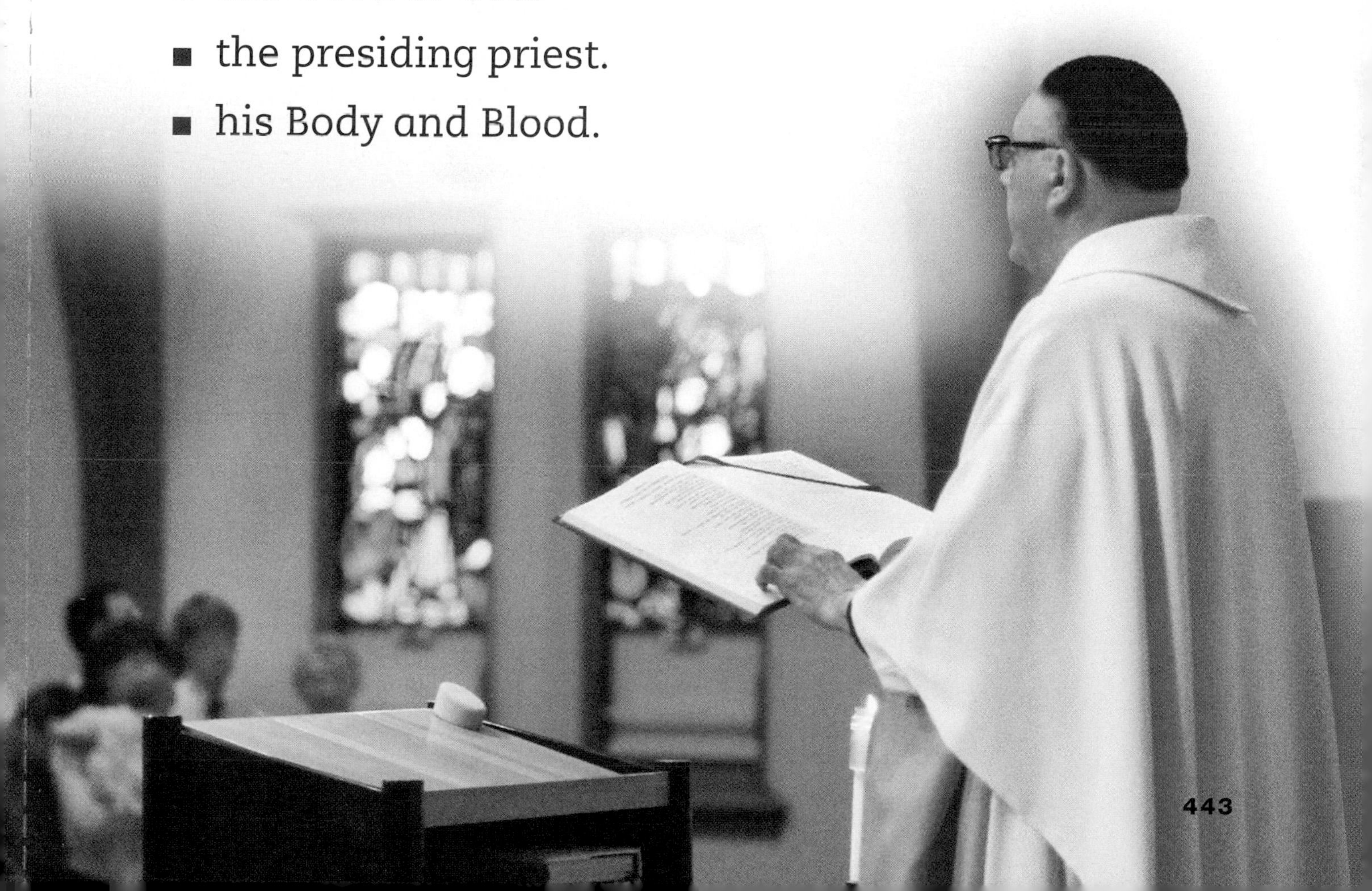

Liturgia

Datos de fe

Tú también puedes bendecir a las personas. Puedes hacer una pequeña señal de la cruz en la frente de tu hermano o de tu hermana, incluso en la de tu mamá o de tu papá.

3 La **Liturgia Eucarística** es la otra parte especial de la Misa.

- Los dones del pan y el vino se llevan al altar para que el sacerdote los bendiga y los haga sagrados.
- La asamblea recuerda la muerte y la Resurrección de Jesús.
- La Iglesia ofrece su agradecimiento y alabanza a Dios a través de Jesús.
- Por medio del poder del Espíritu Santo, el pan y el vino se convierten en el Cuerpo y la Sangre de Jesús.
- Antes de recibir a Jesús en la Sagrada Comunión, la gente se ofrece mutuamente **la paz**, dándose la mano o un abrazo.

3 The **Liturgy of the Eucharist** is the other great part of the Mass.

- Gifts of bread and wine are brought to the altar for the priest to bless and make holy.
- The assembly remembers Jesus' death and Resurrection.
- Through the power of the Holy Spirit the bread and wine become the Body and Blood of Jesus.
- Before receiving Jesus in Holy Communion people offer one another a **sign of peace** by shaking hands or hugging.

Faith Fact

You can bless people, too. You can place a small sign of the cross on your brother or sister's forehead or even on Mom or Dad.

Liturgia

4 Al final de la Misa, el sacerdote **bendice** a las personas y les dice que pueden irse y que deben tratarse como Jesús lo hubiera hecho.

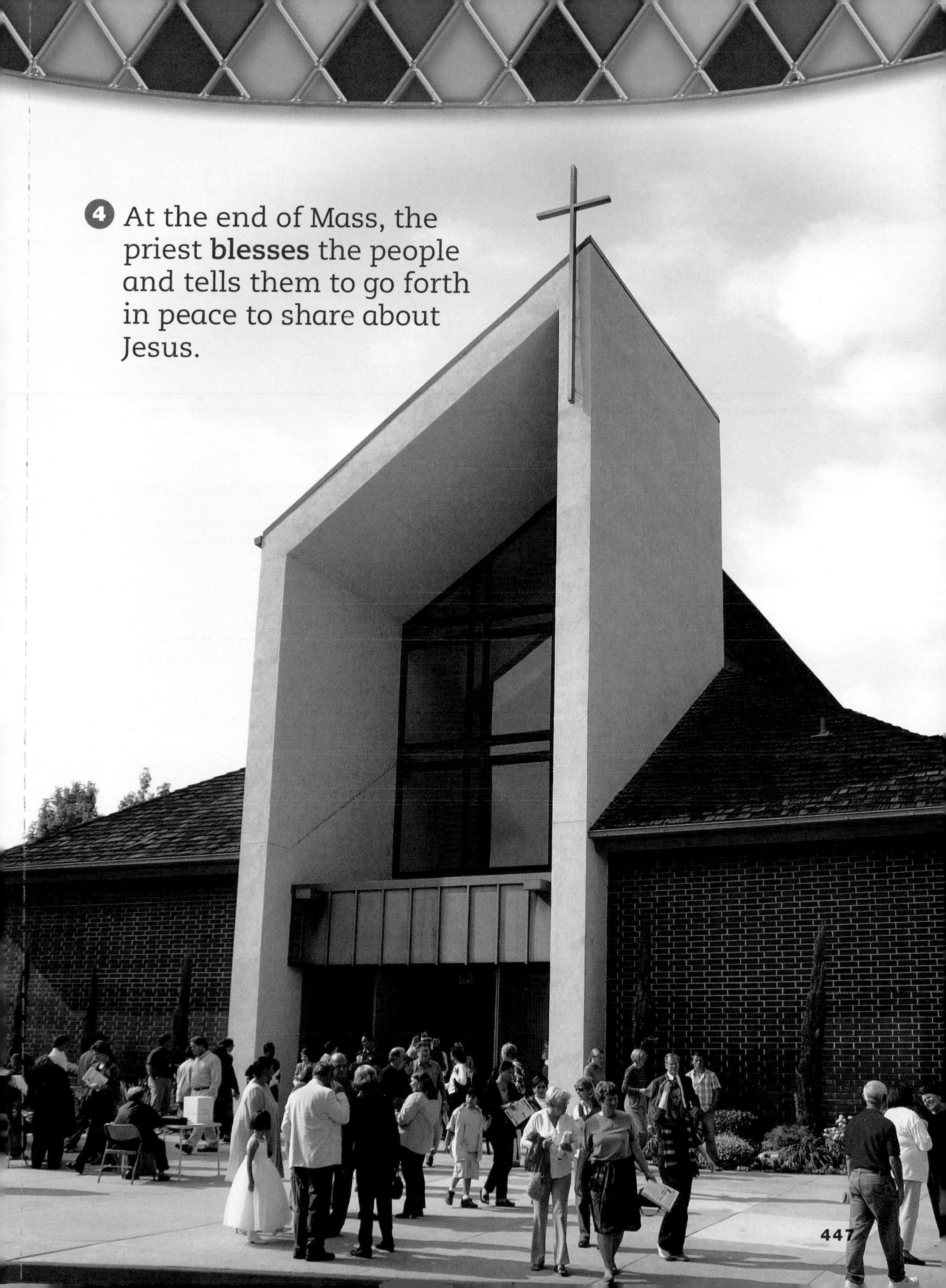

4 At the end of Mass, the priest **blesses** the people and tells them to go forth in peace to share about Jesus.

El ciclo litúrgico y los colores

La Iglesia tiene muchos tiempos. Cada tiempo se representa con uno o varios colores que se usan en las decoraciones de la iglesia y en las vestiduras.

Adviento

El **Adviento** es el comienzo del año litúrgico y se representa con el color violeta. Dura más o menos cuatro semanas, durante las cuales se ansía el regreso de Jesús al final de los tiempos. El Adviento es un tiempo de espera que culmina con la Navidad.

Navidad

La **Navidad** se celebra con los colores blanco y oro. En los días de fiestas especiales de la Iglesia, en lugar del blanco se puede usar el oro. En Navidad la Iglesia recuerda el nacimiento de Jesús y desea el regreso de Jesús al final de los tiempos.

Liturgical Seasons and Colors

The Church has many seasons. Each season is marked by a special color or colors that decorate the church and the vestments.

Advent

Advent is the beginning of the Church year and is marked by the color violet. Advent is about four weeks long; it looks forward to the return of Jesus at the end of time, and it leads up to Christmas. It is a time of waiting.

Christmas

Christmas is celebrated with the colors white and gold. Gold can be used instead of white for special Church holy days. At Christmas the Church remembers the birth of Jesus and looks forward to the return of Jesus at the end of time.

Liturgia

Tiempo Ordinario

Durante el **Tiempo Ordinario** se celebran las palabras y las obras de Jesús. Se representa con el color verde.

Cuaresma

Durante la **Cuaresma** los cristianos renuevan sus promesas bautismales de cambiar su vida y de actuar más como Jesús. La Cuaresma se representa con el color violeta como un signo de preparación para la Pascua.

Triduo Pascual

El **Triduo Pascual** es el tiempo más sagrado del año litúrgico. Durante él se celebra el regreso de Jesús de la muerte a la vida. Los días de fiesta de la Iglesia correspondientes al Triduo Pascual son el Jueves Santo (blanco u oro), el Viernes Santo (rojo), el Sábado Santo (blanco u oro), y el Domingo de Pascua (blanco u oro).

Datos de fe

La mariposa es un símbolo de vida nueva. Nos recuerda la Resurrección de Jesús y la vida después de la muerte.

Tiempo de Pascua

El tiempo de **Pascua** empieza en la noche del Domingo de Pascua. Las vestiduras son de color blanco resplandeciente que representa la vida nueva, ya que el tiempo de Pascua celebra la Resurrección de Jesús. Durante la Pascua también se celebra la vida nueva que la Resurrección de Jesús nos brinda a todos.

Ordinary Time

Ordinary Time celebrates the words and works of Jesus and is marked by the color green.

Lent

During **Lent** Christians recall their baptismal promises to change their life and act more like Jesus. As a sign of preparation for Easter, Lent is marked by the color violet.

Easter Triduum

The Easter **Triduum** is the season that lasts for three days and is the most holy season of the Church year. It celebrates Jesus' passing through death to life. The holy days of Triduum are Holy Thursday (white or gold), Good Friday (red), and Holy Saturday (white or gold), and Easter Sunday (white or gold).

Faith Fact

The butterfly is a symbol for new life. This reminds us of the Resurrection of Jesus and life after death.

Easter Season

The **Easter** Season starts on the night of Easter Sunday. Vestments are brilliant white for new life because the Easter Season celebrates Jesus' Resurrection. Easter also celebrates the new life Jesus' Resurrection brings to all.

Liturgia

María en el mundo

Muchos países celebran a María de diferentes maneras.

- En México, en el resto de América Latina y en Estados Unidos, se rinde homenaje a **Nuestra Señora de Guadalupe**. Ella se apareció a Juan Diego cuando él iba de camino a Misa. En el lugar donde esto pasó se construyó una iglesia. El papa Juan Pablo II nombró Patrona de las Américas a Nuestra Señora de Guadalupe.

Datos de fe

Las letras BVM significan Bendita Virgen María.

Mary Around the World

Many countries celebrate Mary in different ways.

Faith Fact

The letters BVM stand for Blessed Virgin Mary.

- In Mexico, Latin America, and the United States, the people honor **Our Lady of Guadalupe**. She appeared to Juan Diego on his way to Mass. A church was built on that site. Pope John Paul II named Our Lady of Guadalupe the Patroness of the Americas.

- En Francia se honra a **Nuestra Señora de Lourdes**. María se apareció a Bernardita, una niña campesina. En el lugar donde esto sucedió hay un manantial, que hasta hoy en día tiene poderes curativos. Personas de todo el mundo lo visitan.

- En Polonia se honra a **Nuestra Señora de Czestochowa.** El papa Juan Pablo II siente una devoción especial por esta imagen de María, a la que nombraron reina de Polonia. Él visitó su santuario en 1979, justo después de convertirse en papa.

- In France, people honor **Our Lady of Lourdes**. Mary appeared to a young peasant girl, Bernadette. A spring of water flows at that spot. To this day it has healing power. People from all over visit the site.

- In Poland, the people honor the image of **Our Lady of Czestochowa.** Pope John Paul II had a special devotion to this image of Mary, who is named queen of Poland. He visited her shrine just after becoming pope in 1979.

Moral

Dios sabe que, a veces, es difícil tomar buenas decisiones, por eso dio los Diez Mandamientos a su pueblo. Él quiere que los usen como una guía. Dios quiere que tú también tomes buenas decisiones.

Los Diez Mandamientos

1. **Amarás a Dios sobre todas las cosas.**
2. **No tomarás el nombre de Dios en vano.**
3. **Santificarás las fiestas.**
4. **Honrarás a tu padre y a tu madre.**
5. **No matarás.**
6. **No cometerás actos impuros.**
7. **No robarás.**
8. **No dirás falso testimonio ni mentirás.**
9. **No desearás la mujer de tu prójimo.**
10. **No codiciarás los bienes ajenos.**

El mandato de amar de Jesús

Jesús enseñó que el gran mandamiento y la ley del amor resumen los Diez Mandamientos.

God knows it is sometimes difficult to make good choices. He gave his people the Ten Commandments to help guide them. He wants you to make good choices, too.

The Ten Commandments

1. I am the Lord your God. You shall not have strange Gods before me.
2. You shall not take the name of the Lord your God in vain.
3. Remember to keep holy the Lord's day.
4. Honor your father and your mother.
5. You shall not kill.
6. You shall not commit adultery.
7. You shall not steal.
8. You shall not bear false witness against your neighbor.
9. You shall not covet your neighbor's wife.
10. You shall not covet your neighbor's goods.

Jesus' Command to Love

Jesus taught that the Great Commandment and the law of love sum up the Ten Commandments.

El gran mandamiento

"Amarás al Señor tu Dios con todo tu corazón, con toda tu alma, con todas tus fuerzas y con toda tu mente; y amarás a tu prójimo como a ti mismo".

Lucas 10, 27

La ley del amor

"Este es mi mandamiento: que se amen unos a otros como yo los he amado".

Juan 15, 12

Datos de fe

Santa Teresita, la florecita de Jesús, dijo: "Quiero pasar mi cielo haciendo el bien en la tierra. Haré descender una lluvia de rosas". Por esa razón a menudo los artistas la pintan con un crucifijo cubierto de rosas.

The Great Commandment

"You shall love the Lord your God with all your heart, with all your being, with all your strength, and with all your mind, and your neighbor as yourself."

Luke 10:27

Law of Love

"This is my commandment: love one another as I have loved you."

John 15:12

Faith Fact

Saint Thérèse of the Little Flower of Jesus said, "I will spend my heaven doing good on earth. I will let fall a shower of roses." That is why she is often pictured with a crucifix covered with roses.

Oración

Señal de la cruz

En el nombre del Padre, y del Hijo y
del Espíritu Santo. Amén.

La Oración del Señor

Padre nuestro,
que estás en el cielo,
santificado sea tu Nombre;
venga a nosotros tu reino;
hágase tu voluntad en la tierra
como en el cielo.
Danos hoy nuestro pan de cada día;
perdona nuestras ofensas,
como también nosotros perdonamos
a los que nos ofenden;
no nos dejes caer en la tentación,
y líbranos del mal. Amén.

Datos de fe

Algunas personas hacen la señal de la cruz de derecha a izquierda en vez de hacerla de izquierda a derecha. Eso es porque son católicos que siguen el rito oriental.

Sign of the Cross

In the name of the Father, and of the Son, and of the Holy Spirit. Amen.

Faith Fact

Some people make the sign of the cross from right to left instead of left to right. That is because they are Eastern-rite Catholics.

The Lord's Prayer

Our Father, who art in heaven,
hallowed be thy name;
thy kingdom come,
thy will be done
on earth as it is in heaven.
Give us this day our daily bread,
and forgive us our trespasses,
as we forgive those who trespass against us;
and lead us not into temptation,
but deliver us from evil. Amen.

Ave María

Dios te salve, María, llena eres de gracia;
el Señor es contigo;
bendita tú eres entre todas las mujeres,
y bendito es el fruto de tu vientre, Jesús.
Santa María, Madre de Dios,
ruega por nosotros pecadores,
ahora y en la hora de nuestra muerte.
Amén.

Gloria al Padre

Gloria al Padre, al Hijo,
 al Espíritu Santo.
Como era en el principio,
 ahora, y siempre,
 por los siglos de los siglos. Amén.

Bendición de los alimentos

Bendícenos, Señor, y bendice
 estos alimentos
que por tu bondad vamos a tomar.
Por Jesucristo, nuestro Señor. Amén.

Hail Mary

Hail, Mary, full of grace.
The Lord is with you!
Blessed are you among women,
and blessed is the fruit of your womb,
Jesus.
Holy Mary, Mother of God, pray for us
sinners,
now and at the hour of our death.
Amen.

Glory to the Father

Glory to the Father, and to the Son,
and to the Holy Spirit:
as it was in the beginning, is now,
and will be for ever. Amen.

Grace Before Meals

Bless us, O Lord, and these your gifts
which we are about to receive from
your goodness,
through Christ our Lord. Amen.

Palabras de fe

A

Adviento El tiempo anterior a la Navidad que dura cuatro semanas. Durante el Adviento, la Iglesia se prepara para celebrar el nacimiento de Jesús. *(20)*

alabar Honrar a Dios y darle gracias porque es bueno. *(70)*

Antiguo Testamento La primera parte de la Biblia. Trata de la época anterior al nacimiento de Jesús. *(142)*

B

Bautismo El sacramento que te da vida nueva en Dios y te hace miembro de la Iglesia. *(346)*

Biblia La Palabra de Dios escrita por los seres humanos. *(54)*

C

cielo Tener vida y felicidad junto a Dios por siempre. *(382)*

consagrado Estar consagrado a Dios significa estar lleno del Espíritu Santo y servir a Dios con todo el corazón. *(242)*

consecuencia El resultado de una decisión. *(282)*

creación Todas las cosas que Dios creó. Todo lo que Dios creó es bueno. *(86)*

Creador Un nombre que se da a Dios. Significa que Dios hizo todo. *(54)*

cristianos Las personas bautizadas que siguen a Jesús. *(346)*

Cuaresma El tiempo que dura cuarenta días, durante el cual la Iglesia se prepara para la Pascua. *(32)*

cuidador Persona que trata todo con cuidado y con respeto. *(90)*

D

Diez Mandamientos Los Diez Mandamientos son las leyes de Dios. Dicen cómo amar a Dios y a los demás. *(278)*

Dios Padre Dios Padre es la primera Persona de la Santísima Trinidad. *(108)*

E

Espíritu Santo La tercera Persona de la Santísima Trinidad. *(226)*

Eucaristía El sacramento en el cual Jesús se da a sí mismo, y en el que el pan y el vino se convierten en su Cuerpo y su Sangre. *(370)*

F

familia Grupo de personas emparentadas por nacimiento o por adopción. *(120)*

fe El don de creer en Dios y en todo lo que Él ha dicho sobre sí mismo. *(160)*

G

gracia Participar de la vida y del amor de Dios. *(346)*

gran mandamiento La ley de Jesús que te dice que ames a Dios sobre todas las cosas y que ames a tu prójimo como a ti mismo. *(178)*

guía Alguien que nos conduce y nos enseña. A los seguidores de Jesús los guía el Espíritu Santo. *(222)*

H

Hijo de Dios Un nombre que se da a Jesús. El Hijo de Dios es la segunda Persona de la Santísima Trinidad. *(110)*

Iglesia La comunidad de todas las personas bautizadas que creen en Dios y siguen a Jesús. *(214)*

Jesús El nombre del Hijo de Dios. Jesús es también humano. *(110)*

José El nombre del padre adoptivo de Jesús. *(124)*

justicia Dar a Dios y a las demás personas lo que les corresponde. La justicia es un signo del Reino de Dios. *(396)*

libre albedrío Dios te creó para que seas libre. Puedes elegir obedecerlo o desobedecerlo. *(280)*

mandamiento Ley que Dios hizo para que la gente la obedeciera. *(178)*

María La Madre de Jesús, la Madre de Dios. Es también nuestra madre y la Madre de la Iglesia. *(16)*

Misa La gran celebración de alabanza y agradecimiento de la Iglesia. *(366)*

Nuevo Testamento La segunda parte de la Biblia. Trata de Jesús y de sus seguidores. *(142)*

oración La acción de hablar con Dios y escucharlo. *(190)*

Oración del Señor La oración que Jesús enseñó. También se le llama Padre Nuestro. *(194)*

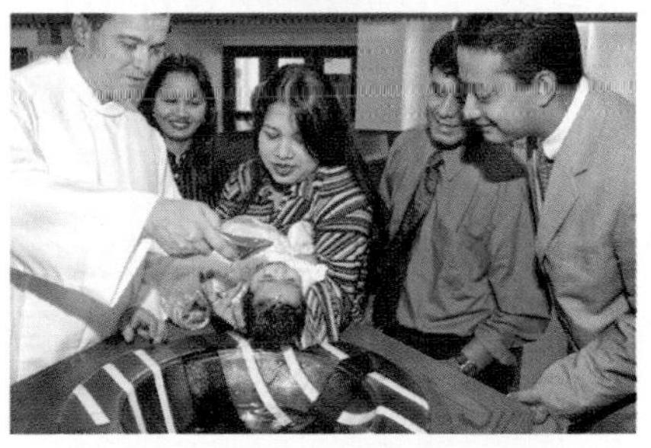

padrinos Dos personas que tus padres eligen para que te ayuden a seguir a Jesús. Generalmente están presentes en tu Bautismo. *(350)*

parábola Relato que Jesús contó y que nos enseña algo acerca de Dios. *(142)*

Pascua La celebración de la Iglesia por la Resurrección de Jesús de entre los muertos. *(40)*

paz Cuando la gente soluciona los problemas con amabilidad difunde la paz. La paz es un signo del Reino de Dios. *(396)*

pecar Es desobedecer a Dios y hacer lo que no es correcto. *(294)*

perdonar Dejar a un lado lo que alguien te haya hecho y no guardar resentimiento contra esa persona. *(298)*

R

Reino de Dios El mundo de amor, paz y justicia que Dios quiere. *(214)*

Resurrección El nombre que se le da al regreso de Jesús a una vida nueva. *(318)*

S

sacramentos Signos del amor de Dios, que Jesús nos dio para acercarnos más a Dios. *(334)*

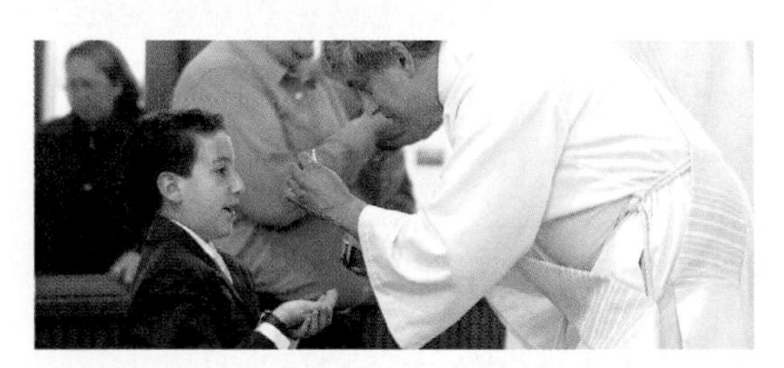

Sagrada Comunión Recibir a Jesús en el sacramento de la Eucaristía, por medio del pan y el vino sagrados. *(366)*

Sagrada Familia Nombre que se le da a la familia humana de Jesús, María y José. *(126)*

Salvador Dios padre lo envió para que salvara a las personas y las guiara de regreso a Dios. *(314)*

Santísima Trinidad Dios Padre, Dios Hijo y Dios Espíritu Santo forman la Santísima Trinidad, las tres Personas en un solo Dios. *(110)*

santos Personas que llevaron una vida ejemplar y amaron a Dios. *(242)*

seguidor Un seguidor de Jesús es alguien que cree en Jesús y que vive según sus enseñanzas. *(266)*

servir Ayudar amorosamente a los demás cuando lo necesitan. *(262)*

U

Última Cena La comida especial que Jesús compartió con sus amigos la noche antes de morir. En la Última Cena, Jesús se entregó en el pan y el vino sagrados. *(368)*

Words of Faith

A

Advent The season of four weeks before Christmas. During Advent the Church prepares to celebrate the birth of Jesus. *(22)*

Baptism The Sacrament that brings you the new life in God and makes you a member of the Church. *(347)*

Bible God's word written down by humans. *(55)*

caretaker A person who treats everything with care and respect. *(91)*

Christians People who are baptized and who follow Jesus. *(347)*

Church The community of all baptized people who believe in God and follow Jesus. *(215)*

commandment A law that God made for people to obey. (179)

consequence The result of a choice. (283)

creation A word for everything God made. All that God made is good. (87)

Creator A name for God. It means that God made everything. (55)

Easter The Church's celebration of the Resurrection of Jesus from the dead. (42)

Eucharist The Sacrament in which Jesus shares himself and the bread and wine become his Body and Blood. (371)

faith The gift of believing in God and all that he has told about himself. (161)

family A group of people related by birth or adoption. (121)

follower A follower of Jesus is someone who believes in Jesus and lives by his teachings. (267)

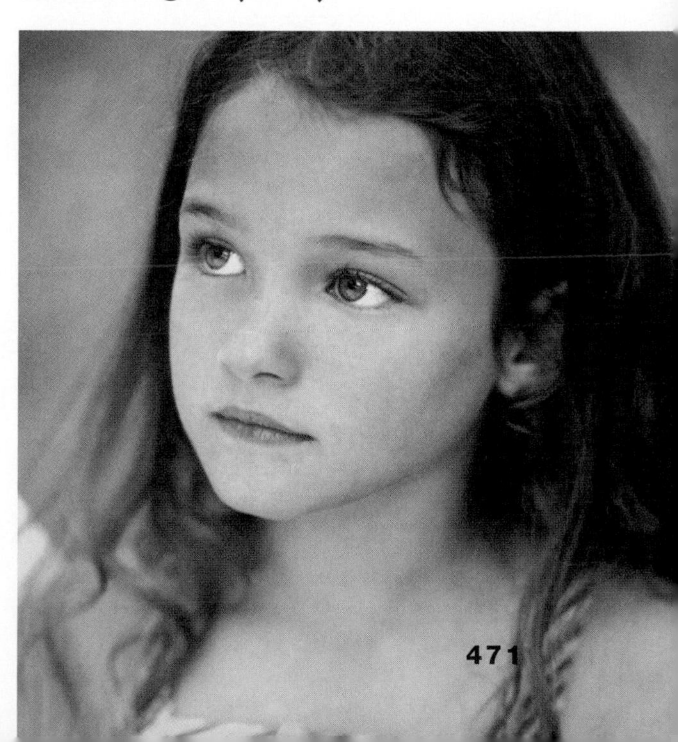

forgive To agree to put aside what someone has done and not hold it against him or her. *(299)*

free will God created you to be free. You can choose to obey God or disobey God. *(281)*

God the Father God the Father is the first Person of the Holy Trinity. *(109)*

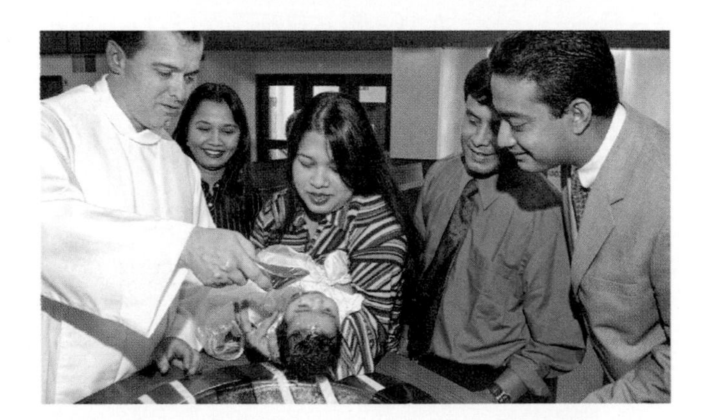

godparents Two people chosen by your parents to help you to follow Jesus. They are usually present at your Baptism. *(351)*

grace Sharing in God's life and love. *(347)*

Great Commandment Jesus' law that tells you to love God above all else and to love others the way you love yourself. *(179)*

guide Someone who leads us and teaches us. The Holy Spirit guides Jesus' followers. *(223)*

heaven Living and being happy with God forever. *(383)*

holy To be filled with the Holy Spirit and to serve God with all your heart. *(243)*

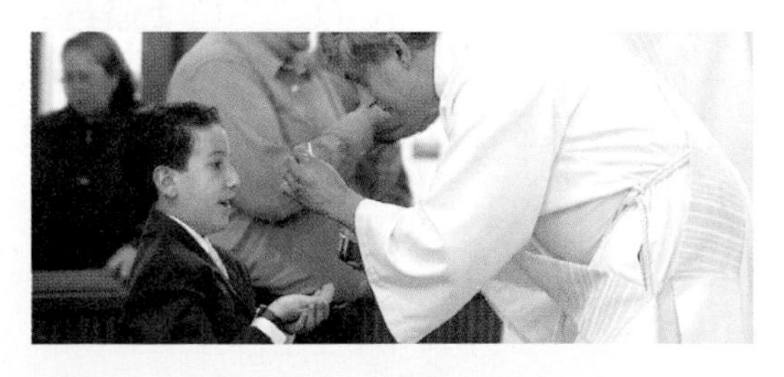

Holy Communion Jesus received in the Sacrament of the Eucharist, the holy Bread and Wine. *(367)*

Holy Family The name for the human family of Jesus, Mary, and Joseph. *(127)*

Holy Spirit The third Person of the Holy Trinity. *(227)*

Holy Trinity God the Father, God the Son, and God the Holy Spirit are the Holy Trinity, the three Persons in one God. *(111)*

Jesus The name of the Son of God. Jesus is also human. *(111)*

Joseph The name of the foster father of Jesus. *(125)*

justice Giving God and other people what is due them. Justice is a sign of the kingdom of God. *(397)*

kingdom of God The world of love, peace, and justice that God wants. (215)

Last Supper The special meal Jesus shared with his friends the night before he died. At the Last Supper Jesus gave himself in the holy Bread and Wine. *(369)*

Lent The season of forty days during which the Church gets ready for Easter. *(34)*

Lord's Prayer The prayer Jesus taught. It is also called the Our Father. *(195)*

Mary The mother of Jesus, the Mother of God. She is also our mother and the Mother of the Church. *(18)*

Mass The Church's great celebration of God's love. *(367)*

New Testament The second part of the Bible. It tells about Jesus and his followers. *(143)*

Old Testament The first part of the Bible. It tells about the times before Jesus was born. *(143)*

parable A story Jesus told that teaches something about God. *(143)*

peace When people settle problems with kindness. Peace is a sign of the kingdom of God. *(397)*

praise Giving God honor and thanks because he is good. *(71)*

prayer Listening to and talking with God. *(191)*

R

Resurrection The name for Jesus being raised from the dead to new life. *(319)*

S

Sacraments Signs of God's love given by Jesus to bring you closer to God. *(335)*

saints People who lived a good life and loved God. *(243)*

Savior God the Father sent him to save people and bring them back to God. *(315)*

serve To help give others in a loving way what they need. *(263)*

sin To choose to disobey God and do wrong. *(295)*

Son of God A name for Jesus. The Son of God is the second Person of the Holy Trinity. *(111)*

T

Ten Commandments The Ten Commandments are God's laws. They tell how to love God and others. *(279)*

Los números en negrita se refieren a las páginas donde los términos están definidos.

Boldfaced numbers refer to pages on which the terms are defined.

Illustration Credits
Martha Aviles 104-107, 328-329; Paige Billin-Frye 140-143; Simone Boni 24-27, 400-403; Hector Borlasca 224-227; Nan Brooks 82-85; Dan Brown 380-383; Nancy Cassidy 278-279; Olivia Cole 114-115, 214-215, 314-315; Jane Conteh-Morgan 53-55; Carolyn Croll 56-59, 228-231, 280-283; Roman Dunets 136-139; 292-295; Allen Eitzen 208-211; Patrick Girouard 176-177; Nick Harris 40-43; Pamela Johnson 212-215; Barbara Kiwak 316-319; Dennis Lyall 44-47; Patrick Merrell 120-123; Kathryn Mitter 260-263; Moria Maclean 124-127; David Opie 72-75; Frank Ordaz 420-421; Pat Paris 332-335; Mick Reid 108-111, 192-195; Bill Smith Studio 32-35, 420-421; Joel Spector 348-351; Arvis Stewart 312-315; Matt Straub 64-65, 74-75, 94-95, 116-117, 158-159, 166-167, 168-169, 174-175, 178-179, 182-183, 184-185, 190-191, 198-199, 200-201, 210-211, 270-271, 286-287, 288-289, 304-305, 322-323, 334-335, 340-341, 350-351, 374-375, 402-403; Susan Swan 160-163, 420-421; Peggy Tagel 68-69, 70-71, 465, 471; The Curator Collection, Ltd. 16-19.

Photo Credits
2, 3 l Comstock/Jupiter Images; 2, 3 r Photodisc/Getty Images; 4, 5 Digital Vision/Getty Images; 12-13, 14-15 Randy Miller; 13, 15 Father Gene Plaisted, OSC; 20-21, 22-23 Ted Spiegel/Corbis; 28-29, 30-31 Réunion des Musées Nationaux/Art Resource, NY; 32-33, 34-35 Father Gene Plaisted, OSC; 36-37, 38-39 Father Gene Plaisted, OSC; 48, 49 l Digital Vision/Getty Images; 48, 49 c Ian Mckinnell/Taxi/Getty Images; 48, 49 r Michael Pole/Corbis; 50, 51 Digital Vision/Getty Images; 54, 55 Tom Stewart/Corbis; 61 Wayne Eardley/Masterfile; 62, 63 Ariel Skelley/Corbis; 66, 67 Ian Mckinnell/Getty Images; 68, 69 t Bluestone Productions/Getty Images; 68, 69 cl Kaz Chiba/Getty Images; 68, 69 cr DLILLC/Corbis; 68, 69 bl Mel Yates/Getty Images; 68, 69 br Father Gene Plaisted, OSC; 76, 77 David Mendelsohn/Masterfile; 80, 81 Tom & Dee Ann McCarthy/Corbis; 82, 83 Michael Pole/Corbis; 88, 89 Doug Menuez/Getty Images; 90, 91 t Kevin Dodge/Masterfile; 90, 91 c Tony Freeman/PhotoEdit; 90, 91 cr Kevin Laubacher/Getty Images; 90, 91 b Michael Newman/PhotoEdit; 93 Michael Newman/PhotoEdit; 96, 97 Henryk T. Kaiser/Index Stock/Photolibrary; 100, 101 l Fuse/Getty Images; 100, 101 c Digital Vision/Getty Images; 100, 101 r Joel Sartore/Getty Images; 102, 103 bg Fuse/Getty Images; 110, 111 Father Gene Plaisted, OSC; 113 Richard Hutchings; 118, 119 Digital Vision/Getty Images; 126, 127 Exactostock/SuperStock; 128 Axel Fassio/Getty Images; 132, 133 CLEO Photography/PhotoEdit; 134, 135 Joel Sartore/Getty Images; 138, 139 Randy Lincks; 142, 143 Myrleen Ferguson Cate/PhotoEdit; 145 Bill Wittman; 148, 149 Terry Vine/Blend Images/Corbis; 152, 153 l Britt Erlanson/Getty Images; 152, 153 c Stephen Simpson; 152, 153 r Erlanson Productions/Getty Images; 154, 155 bg Britt Erlanson/Getty Images; 156, 157 Matthew Polak/Sygma/Corbis; 158, 159 Kapoor Baldev/Sygma/CORBIS; 165 Father Gene Plaisted, OSC; 170, 171 Stephen Simpson; 172, 173 Richard Hutchings; 174, 175 l Richard Hutchings; 174, 175 r India Picture/Corbis; 178, 179 Frank Siteman/AgeFotostock; 181 Ariel Skelley/Corbis; 186, 187 Erlanson Productions/Getty Images; 188, 189 Ariel Skelley/Corbis; 190, 191 Gregory Kramer/Getty Images; 197 Ron Chapple/Getty Images; 204, 205 l LWA-Sharie Kennedy/CORBIS; 204, 205 c Richard Hutchings/PhotoEdit; 204, 205 r Lori Adamski Peek/Getty Images; 206, 207 bg LWA-Sharie Kennedy/CORBIS; 214, 215 Zephyr Picture/Index Stock/Photolibrary; 217 PIXAL/AgeFotostock; 220, 221 David Young-Wolff/PhotoEdit; 222, 223 Richard Hutchings/PhotoEdit; 226, 227 Bill Wittman; 230, 231 l Jose Luis Pelaez, Inc./Corbis; 230, 231 r Richard Hutchings; 233 Rommel/Masterfile; 234, 235 Laura Dwight/PhotoEdit; 236, 237 Tony Hopewell/Punchstock; 238, 239 Lori Adamski Peek/Getty Images; 240, 241 Kevin Dodge/Masterfile; 242, 243 Doug Mazell/Index Stock Imagery/Photolibrary; 244, 245 t Andrea Jemolo/Corbis; 244, 245 cr Robert Lentz; 244, 245 cl Father Gene Plaisted, OSC; 244, 245 b Robert Lentz; 246, 247 l Robert Lentz; 246, 247 r Father John Giuliani/Bridge Building Images; 249 Arte & Immagini srl/CORBIS; 250, 251 Scholastic Studio 10/Index Stock/Photolibrary; 252, 253 LWA-Dann Tardif/Corbis; 256, 257 l Daniel Pangbourne/Digital Vision/Jupiter Images; 256, 257 c Fuse/Jupiter Images; 256, 257 r Digital Vision/Getty Images; 258, 259 bg Daniel Pangbourne/Digital Vision/Jupiter Images; 262, 263 Jonathan Nourok/PhotoEdit; 264, 265 t Myrleen Ferguson Cate/PhotoEdit; 264, 265 c BananaStock/BananStock, Ltd./PictureQuest; 264, 265 b BananaStock/BananStock, Ltd./PictureQuest; 266, 267 Tom & Dee Ann McCarthy/Corbis; 269 Myrleen Pearson; 272, 273 Brad Wrobleski/Masterfile; 274, 275 Fuse/Jupiter Images; 276, 277 BananaStock/BananStock, Ltd./PictureQuest; 285 BananaStock/BananaStock, Ltd./PictureQuest; 290, 291 Digital Vision/Getty Images; 296, 297 c Augustus Butera/Getty Images; 296, 297 b Antony Nagelmann/Getty Images; 298, 299 Tony Freeman/Photo Edit; 301 Ronnie Kaufman/Corbis; 302, 303 Peter Hince/Getty Images; 308, 309 l Stewart Cohen/Getty Images; 308, 309 c Walter Schmid/Getty Images; 308, 309 r Reed Kaestner/Corbis; 310, 311 Stewart Cohen/Getty Images; 321 t Photos.com; 321 b Bill Wittman; 324, 325 Robert Frerck/Getty Images; 326, 327 Walter Schmid/Getty Images; 330, 331 Bill Wittman; 337 Myrleen Ferguson Cate/PhotoEdit; 342, 343 Reed Kaestner/Corbis; 344, 345 Michael Newman/PhotoEdit; 348, 349 tl Bill Wittman; 348, 349 tr Bill Wittman; 348, 349 bl Bill Wittman; 348, 349 br Bill Wittman; 353 Ariel Skelley/Corbis; 354, 355 ROB & SAS/Corbis; 356, 357 Myrleen Ferguson Cate/PhotoEdit; 360, 361 l Tim Pannell/Corbis; 360, 361 c Ingo Arndt/Minden Pcitures/Getty Images; 360, 361 r Rolf Bruderer/Masterfile; 362, 363 bg Tim Pannell/Corbis; 364, 365 l Father Gene Plaisted, OSC; 364, 365 r Bill Wittman; 366, 367 l Michael Newman/Photo Edit; 366, 367 r Bill Wittman; 370, 371 Bill Wittman; 373 Father Gene Plaisted, OSC; 376, 377 Bill Wittman; 378, 379 Ingo Arndt/Minden Pictures/Getty Images; 382, 383 t Luc Beziat/Getty Images; 382, 383 b Dan Lim/Masterfile; 384, 385 NOVASTOCK/PhotoEdit; 386, 387 Hola Images/Getty Images; 389 Terry Vine/Getty Images; 392, 393 Lars Klove Photo Service/Getty Images; 394, 395 Rolf Bruderer/Masterfile; 396, 397 Jim Craigmyle/Masterfile; 398, 399 Peter Griffith/Masterfile; 405 Jack Hollingsworth/Getty Images; 408, 409 Michael Newman/PhotoEdit; 412-413, 414-415 Richard Hutchings; 416, 417 Réunion des Musées Nationaux/Art Resource, NY; 418, 419 Michael Newman/PhotoEdit; 422, 423 Steve Cole/Photodisc/Getty Images; 432, 433 Richard Cummins/Corbis; 434, 435 Father Gene Plaisted, OSC; 436, 437 t Photospin; 436, 437 b Bill Wittman; 438, 439 t Father Gene Plaisted, OSC; 438, 439 b Father Gene Plaisted, OSC; 440, 441 Father Gene Plaisted, OSC; 442, 443 Father Gene Plaisted, OSC; 444, 445 Father Gene Plaisted, OSC; 446, 447 Spencer Grant/PhotoEdit; 448, 449 Father Gene Plaisted, OSC; 450, 451 Photos.com; 452, 453 Scott Christopher/Index Stock/Photolibrary; 454, 455 t Archives Charmet/Bridgeman Art Library; 454, 455 b Archives Charmet/Bridgeman Art Library; 458, 459 Photodisc/Getty Images; 460-461, 462-463 Thinkstock/Getty Images; 464, 470 l Richard Hutchings; 466, 480 r Comstock; 465, 471 Heide Benser/Corbis; 467, 472 l Bill Wittman; 468, 472 r Bill Wittman; 469, 473 Bill Wittman; 467, 474 Steve Skjold/PhotoEdit; 465, 475 Photodisc/Getty Images

Acknowledgments
For permission to reprint copyrighted material, grateful acknowledgment is made to the following sources:

Hope Publishing Co., Carol Stream, IL 60188: Lyrics from "Spirit-Friend" by Tom Colvin. Lyrics © 1969 by Hope Publishing Co. Lyrics from "Shout for Joy" by David Mowbray. Lyrics © 1982 by Jubilate Hymns, Ltd. Lyrics from "When Jesus the Healer" by Peter D. Smith. Lyrics © 1978 by Stainer & Bell, Ltd.

International Commission on English in the Liturgy, Inc.: From the English translation of "You Have Put on Christ" in the *Rite of Baptism for Children*. Translation © 1969 by International Committee on English in the Liturgy, Inc. (ICEL). From the English translation of "Psalm 25: Teach Me Your Ways," "Psalm 89: For Ever I Will Sing," "Psalm 98: Sing to the Lord a New Song," "Psalm 113: Blessed Be the Name," and "Psalm 119: Happy are They" in the *Lectionary for Mass*. Translation © 1969, 1981 by International Committee on English in the Liturgy, Inc. (ICEL).

S©ott Treimel New York: "A Moment in Summer" from *River Winding* by Charlotte Zolotow. Text copyright @ 1970 by Charlotte Zolotow.